soluções para noites sem choro

soluções para noites sem choro

Maneiras Tranquilas de Ajudar o Bebê a Dormir a Noite Toda

Elizabeth Pantley

M.BOOKS

M.Books do Brasil Editora Ltda.

Rua Jorge Americano, 61 - Alto da Lapa
05083-130 - São Paulo - SP - Telefones: (11) 3645-0409/(11) 3645-0410
Fax: (11) 3832-0335 - e-mail: vendas@mbooks.com.br
www.mbooks.com.br

Dados de Catalogação na Publicação

Pantley, Elizabeth
Soluções para Noites Sem Choro/Elizabeth Pantley; tradução, Cássia Maria Nasser – São Paulo: M. Books
ISBN: 9788589384100
1. Parenting

Do original: The no-cry sleep solution

Original em inglês publicado por Contemporary Books, a Division of The McGraw-Hill Companies

EDITOR
MILTON MIRA DE ASSUMPÇÃO FILHO

Produção Editorial
Ana Bimontti

Tradução
Cássia Maria Nasser

Capa
ERJ Composição Editorial

Editoração e Fotolitos
ERJ Composição Editorial

2003

Dedico este livro ao meu marido, Robert, por tudo que faz como pai de nossos filhos — coisas que às vezes podem parecer insignificantes, mas são partes da vida que guardo com muito carinho naquele lugar especial do coração que apenas ele conhece. Este livro é para você, meu marido, por:

Colocar a primeira fralda em nossa primogênita, Angela. Seus movimentos delicados e atentos naquele dia fazem dessa lembrança a mais querida dos meus primeiros momentos como mãe.

Carregar Vanessa, recém-nascida, enquanto fazíamos compras no shopping. Por amparar seu corpinho minúsculo, por olhar em seu rostinho enquanto conversávamos e pelo brilho de amor e orgulho em seus olhos.

Cantar para David todas aquelas canções bobas que o faziam gargalhar. E cantá-las com o mesmo gosto e emoção pela décima vez como se fosse a primeira.

Embalar o pequeno Cole até dormir, mesmo quando seus braços adormeciam antes disso. E por jamais ignorar o chamado de "papai", por mais ocupado que esteja.

Treinar nossos filhos e outros para jogarem softball, com um coração do tamanho do mundo. Pelo dia em que a arremessadora adversária esforçou-se ao máximo e explodiu em lágrimas: como posso esquecer a cena de você saindo do banco com a caixa de lenços de papel, abraçando-a e incentivando-a a terminar o jogo?

Orientar nossos filhos nos estudos com o equilíbrio perfeito de seriedade (aquelas reuniões para definir metas) e diversão (ajudá-los com as tarefas de casa enquanto comiam pipoca e assistiam ao jogo de beisebol dos Mariners).

Convidar várias crianças para irem a nossa casa. E depois, quando o convite incluía todo o time de softball para passar a noite, ficar acordado até tarde para que eu pudesse dormir cedo.

Ensinar a importância da consideração, carinho e família ao abraçar vovó quando ela mais precisa de um abraço, surpreendê-la quando ela mais precisa de uma surpresa e dizer "obrigado" sempre.

Revelar aos nossos filhos os segredos de um casamento longo e duradouro — confiança, honestidade, respeito e afeto — para que eles possam nos imitar e crescer valorizando o próprio casamento.

Entender que o ritual de dormir do nosso bebê é mais importante do que festas e jantares; que trançar os cabelos com perfeição é tão importante quanto chegar ao campo na hora certa; que sair para almoçar com o papai aos domingos é um ingrediente essencial para a infância feliz e que a porta fechada no quarto do adolescente, às vezes, representa um convite mais caloroso do que se estivesse aberta.

Reconhecer que "papai" é o título mais significativo em sua vida agora e talvez, quem sabe, para sempre.

O objetivo deste livro é proporcionar aos pais e a todos os envolvidos no cuidado infantil uma variedade de idéias e sugestões. É comercializado sabendo-se que o editor e o autor não estão prestando serviços profissionais, médicos ou psicológicos. A autora não é médica ou psicóloga e as informações neste livro refletem sua opinião, a menos que especificado de outra maneira. Este material é apresentado sem quaisquer garantias, expressas ou implícitas, incluindo-se, mas não limitadas, às garantias implícitas de comercialização ou adequabilidade para determinado objetivo. Não é possível cobrir todas as eventualidades em cada resposta e os leitores devem sempre consultar um profissional para suas necessidades específicas. Devem também levar seus filhos ao médico para exames regulares e conversar com profissionais especializados sobre a Síndrome da Morte Súbita, para aprenderem a reduzir o risco para o próprio filho. A U.S. Consumer Product Safety Commission não recomenda que o bebê durma na cama com os pais, mas muitos adotam essa prática. As referências e a lista de segurança, apresentadas neste livro, sobre bebês que dormem na cama com os pais não devem ser vistas como permissão para o uso dessa prática, mas, sim, como informações para os pais que pesquisam a questão e optaram por dormir com o bebê em sua cama. Este livro não substitui o profissional competente na área de saúde nem a orientação profissional.

Agradecimentos

Sou grata pelo apoio de todos que possibilitaram a existência deste livro e gostaria de expressar meus sinceros agradecimentos a:

Judith McCarthy, de McGraw-Hill/Contemporary Books — obrigada pelo apoio e orientação constantes.

Meredith Bernstein, da Meredith Bernstein Literary Agency, Nova York — obrigada pela energia e entusiasmo e a capacidade de agir.

Vanessa Sands — obrigada por compartilhar seu *insight*, talento e amizade.

Pia Davis, Christine Galloway e Kim Crowder — obrigada pelas suas experiências como mães, servindo, com êxito, como cobaias para o material final.

Mamães que participaram de meus experimentos: Alice, Alison, Amber, Andrea, Ann, Annette, Becca, Becky, Bilquis, Carol, Caryn, Christine C., Christine Ga., Christine Gr., Cindy, Dana, Dayna, Deirdre, Diane, Elaine, Elvina, Emily, Gloria, Jenn, Jenny, Jessie, Jill, Julie, Kari, Kelly, Kim, Kristene, Lauren, Lesa B., Leesa H., Lisa Ab., Lisa As., Lisa G., Lorelie, Marsha, Melanie, Neela, Pam, Penny, Pia, Rene, Robin, Sandy, Shannon R., Shannon J., Sharon, Shay, Staci, Susan, Suzanne, Tammy, Tanya, Tina, Victoria e Yelena — obrigada pelos comentários e perguntas durante o processo. (Um beijinho aos bebês por mim.)

Judy Arnall, Maribeth Doerr, Nancy Eggleston, Tammy Frissel-Deppe, Macall Gordon, Tricia Jalbert, Dr. James J. McKenna, Nancy Price, Richard Rubin, Michael Trout e Gaye E. Ward — obrigada pelo apoio, entusiasmo e incentivo.

Dolores Feldman, minha mãe — obrigada por ser uma bênção diária em minha vida. Eu te amo.

Sumário

Prefácio

O sono — ou, mais precisamente, a *falta* de sono — é um dos aspectos mais desafiadores para os pais durante o primeiro e o segundo ano de vida do bebê. A dificuldade maior é conseguir que ele durma a noite toda. Pais sensíveis às necessidades do bebê relutam em tentar qualquer técnica que exija deixar seu bebê chorar e, por isso, quase sempre lutam em meio ao nevoeiro da insônia. Essa condição de "pais martirizados durante a noite" geralmente resulta em frustração e ressentimento, levando a sentimentos desnecessários de culpa e comprometendo a alegria da família com a chegada do filho. No momento em que os pais deveriam ter prazer com o processo de conhecer o bebê, essa impossibilidade de dormir os leva a duvidarem de si mesmos.

Sempre pensei que seria maravilhoso ter um cardápio de sugestões que os pais pudessem experimentar até acharem o antídoto mágico para ajudar o bebê a dormir a noite toda. Elizabeth Pantley criou esse cardápio no *Soluções para Noites Sem Choro*.

A beleza deste livro é que os pais podem criar seu próprio plano de sono segundo sua própria realidade e a do bebê. Os pais podem optar por inúmeras soluções sensatas e sensíveis que respeitam tanto a si mesmo quanto ao bebê, atingindo o equilíbrio entre as necessidades noturnas da criança e a necessidade real dos pais de uma boa noite de sono. As sugestões são firmemente baseadas no conceito de que os primeiros anos de vida são o momento de ajudarmos a criança a desenvolver uma atitude saudável em relação ao sono — aquela que considera o sono como um estado agradável, tranqüilo e necessário que não pode ser temido.

Provavelmente, você escolheu este livro porque seu bebê não a deixa dormir a noite toda. A falta de sono certamente afeta sua capacidade de funcionar bem durante o dia. Elizabeth Pantley, mãe experiente de quatro filhos, entende perfeitamente a sua situação atual, porque também passou por isso. Ela escreveu um livro objetivo, fácil de ler e descomplicado. Os passos são definidos de maneira que até mesmo os que menos dormem possam entender e aplicar as sugestões.

Finalmente, encontrei um livro que posso entregar aos pais exaustos com a certeza de que poderão aprender a ajudar o bebê a dormir a noite toda — sem chorar.

— William Sears, M.D.

Comentário da autora Elizabeth Pantley

O Dr. Sears é o meu herói na orientação educacional. Os livros dele me auxiliaram quando fui mãe pela primeira vez, ansiosa e inexperiente, há 14 anos. Sua sabedoria e seus conhecimentos ajudaram-me a aprender o que realmente significa ser mãe e seu *insight* moderado mostrou-me como agir da maneira mais carinhosa e eficaz. Sinto-me profundamente honrada que ele considere meus livros tão úteis aos pais, que se dispôs a escrever o prefácio para cada um deles. Muitos pais conhecem o Dr. Sears — e, os que não o conhecem, deveriam conhecê-lo.

Um dos pediatras mais respeitados e aclamados dos Estados Unidos, professor associado de pediatria clínica na University of California School of Medicine, é o especialista em pediatria e orientação educacional para Parenting.com, bem como em seu próprio site (AskDrSears.com). Ele e a esposa, Martha Sears, R.N., Registered Nurse — enfermeira com curso universitário; têm oito filhos e quatro netos. Aparecem freqüentemente na televisão, são bastante citados na imprensa e são autores ou colaboradores de trinta livros dedicados à orientação educacional, os quais recomendo com muito entusiasmo. Uma lista parcial da obra do Dr. Sears inclui *The Attachment Parenting Book, The Baby Book, The Successful Child, The Discipline Book* e *Nighttime Parenting.*

Introdução

Alguma destas afirmativas descreve seu bebê?

- Ele demora *muito tempo* para adormecer.
- Ele só adormece se eu: amamentá-lo, der a mamadeira, der a chupeta, niná-lo, carregá-lo, balançá-lo ou der uma volta de carro.
- Meu bebê acorda com freqüência durante a noite.
- Meu bebê não costuma tirar uma soneca, ou, quando tira, ela é muito curta.

Alguma destas afirmativas descreve você?

- Quero muito que meu bebê durma melhor.
- Não vou — não consigo — deixá-lo chorar até dormir.

Em caso afirmativo, este livro foi escrito para você. Ele explicará as etapas exatas a serem seguidas para ajudar, com tranqüilidade, seu bebê a dormir a noite toda. Portanto, abra bem os olhos, pegue uma xícara de café e deixe-me explicar como você pode ajudá-lo a dormir — para que *você* também possa dormir.

Como sei tanto sobre crianças e sono? Tenho orgulho e sorte de ser mãe de quatro que iluminam minha vida, adormecidos ou acordados. Há a primogênita, Angela, agora com catorze anos de idade, que me orienta na experiência deliciosa (por enquanto) de ser mãe de uma adolescente. Depois, vieram Vanessa, agora com doze, e David, com dez. E há ainda Cole, dois anos de idade. Aaah, Cole. Nosso tesouro-surpresa que me fez recordar todas as coisas maravilhosas que adoro nos bebês. E que também me fez lembrar de que bebês implicam noites passadas em claro.

Com dois de meus filhos, eu não precisaria deste livro. David tinha o sono tão regular que mal me lembro daquela época. Vanessa foi um daqueles bebês *extremamente* raros que, por milagre, dormia dez horas seguidas ao completar seis semanas de vida. (Eu mesma não acreditaria se não estivesse anotado em seu álbum de bebê!) A primogênita e o caçula, contudo, acordavam muito à noite. Enquanto eu tentava convencer Cole, o caçula, de dormir na hora certa — e *permanecer* dormindo a noite *toda* — descobri inúmeras soluções maravilhosas, práticas e carinhosas para o meu problema. Como escritora e orientadora educacional, tenho o prazer de dividi-las com você na esperança de que também consiga dormir melhor.

Como Este Livro Ajudará Você

Durante meses de pesquisa, experiência pessoal e trabalho com famílias testando casos, reuni e organizei inúmeras sugestões viáveis criando o que denomino de *Soluções para Noites Sem Choro*. É um plano de 10 passos para ajudar o bebê a dormir a noite toda. Não é um processo desagradável, severo. Não envolve deixar o bebê chorar — nem mesmo por um minuto. Ao contrário, consiste de um plano personalizado que você cria para a sua família segundo as sugestões e pesquisas que apresento aqui, tudo dentro de uma estrutura simples e fácil de seguir. O método é, ao mesmo tempo, suave, carinhoso e eficaz. Gostaria primeiro de explicar por que me apaixonei pela idéia de escrever este livro.

Catorze anos atrás, quando Angela era bebê, enfrentei esse mesmo dilema. Ela não dormia a noite toda. Ao contrário, acordava a cada duas horas e queria minha atenção. Como mãe novata e inexperiente, procurei soluções em livros, artigos e diálogos com outros pais.

Logo descobri duas escolas básicas de pensamento relacionadas ao sono dos bebês. Uma defende deixar o bebê chorar até aprender a adormecer sozinho. A outra diz que é normal os bebês acordarem à noite e que é função dos pais cuidar deles — dia e noite. Por fim, quando o bebê estiver preparado, dormirá a noite toda.

Cole, dezoito meses, e David, nove anos de idade

Em poucas palavras, os dois métodos podem ser resumidos em "chorar até cansar" ou "conviver com o problema". Eu não queria nenhum dos dois. Sabia que deveria existir uma forma menos agressiva, um caminho entre a negligência noturna e a exaustão diurna que seria satisfatório para o bebê *e* para mim.

Naquela época, após todas as minhas pesquisas sobre bebês e suas fragilidades, senti-me culpada e egoísta quando comecei a desejar uma noite de sono contínuo. Era quase impossível reconciliar meus próprios instintos em relação às necessidades noturnas de Angela com a fadiga que afetava o meu papel diurno de mãe. O tempo passou e, por fim, minha filha começou a dormir a noite toda — mas só depois de completar dois anos de idade.

Chorar até Dormir

Os defensores desse método fazem com que isso pareça muito simples. Algumas noites de choro e o bebê estará dormindo a noite inteira, todas as noites. Ah, se *fosse* assim tão simples! Minhas pesquisas mostram que pouquíssimos pais conquistam esse êxito facilmente. Muitos enfrentam semanas de choro, durante horas, todas as noites (para o bebê *e* para os pais, em muitos casos). Alguns bebês choram tanto que vomitam. Alguns pais acham que o choro noturno afeta a personalidade diurna dos bebês — tornando-os apegados e irritados. Muitos acham que qualquer problema (dentição, enjôo, a falta da soneca, férias) os leva de volta à condição anterior de noites passadas em claro e precisam deixar a criança chorar repetidas vezes. Muitos (ou todos) pais que escolhem deixar o bebê chorar até dormir é porque acreditam ser a única forma de fazê-lo dormir a noite toda.

Minha Experiência Pessoal com o Método de Chorar até Dormir

Em determinado momento do período em que Angela não dormia à noite, *cedi* à pressão de amigos, familiares e até de meu pediatra, que recomendavam que algumas noites de choro resolveriam nosso problema. (Se você está lendo este livro, conhece essa pressão também.) Portanto, certa noite, eu a deixei chorar até dormir. E foi horrível.

Eu ia vê-la várias vezes, sempre aumentando o intervalo antes de retornar ao seu berço. Mas cada vez que eu voltava cortava-me o coração ver meu bebezinho estendendo os braços, desesperado e inutilmente gritando, "Mamã!", o rostinho revelando terror e confusão. E *soluçando.* Após duas horas desse tormento, eu também estava chorando.

Peguei minha garotinha e a abracei bem forte. Ela estava muito agitada para que eu a amamentasse e muito abalada para dormir. Abracei-a e beijei a sua cabecinha enquanto seu corpo tremia em conseqüência do choro. Pensei: "Esta abordagem responde às necessidades infantis? Isso vai ensiná-la que o mundo merece sua fé e confiança? *Isso é cuidar do bebê?*".

Decidi ali mesmo: estavam todos errados. Redondamente enganados. Eu estava convencida de que era uma maneira simplificada e cruel de tratar outro ser humano, e sobretudo o amorzinho da minha vida. Permitir que o bebê sofra de dor e medo até que ele desista e durma é cruel e, para mim, inimaginável.

Prometi ao meu bebê que jamais seguiria o caminho que *os outros* nos indicassem. Jamais permitiria que chorasse até dormir. Além disso, jurei que não deixaria nenhum dos meus futuros filhos passar por aquela experiência terrível que acabávamos de vivenciar.

E assim foi.

Treze Anos Depois: Quanto Mais as Coisas Mudam...

Aos doze meses, meu quarto bebê, Cole, não dormia a noite toda. Seguindo os passos da irmã mais velha, e *batendo* seu recorde, ele acordava quase toda hora, solicitando minha atenção. Agora, como uma mãe madura, experiente e orientadora educacional, constatei que minhas crenças sobre deixar o bebê chorar até dormir não tinham mudado. Mas, sabendo que tantos outros pais sentiam-se da mesma forma, eu tinha certeza de que naqueles anos todos novas soluções teriam surgido. Pensei que encontraria idéias concretas e úteis em um livro e comecei a buscá-las.

Quase um mês depois, com os olhos vidrados de cansaço, avaliei meus achados. Diante de mim, uma pilha de artigos e livros — antigos e novos — com as mesmas duas opções para tratar do meu dilema: deixar o bebê chorar até dormir ou aprender a conviver com as noites passadas em claro.

O Que os Especialistas Dizem sobre a Agonia Mútua do Método de Chorar até Dormir

Eu *encontrei* muitos dados novos que reforçaram minha repugnância pelo método de deixar o bebê chorar até dormir. O Dr. Paul M. Fleiss e Frederick Hodges, em *Sweet Dreams* (Lowell House, 2000), disseram o seguinte sobre esses programas de treinamento para bebês:

> Bebês e crianças pequenas são seres emocionais e não seres racionais. A criança não consegue compreender por que ignoramos seu pedido de ajuda. Ignorar o choro do bebê, mesmo com a melhor das intenções, pode levá-lo a sentir-se abandonado. Os bebês respondem a necessidades biológicas que os "especialistas" em sono ignoram ou negam. É verdade que o bebê, cujo choro é ignorado, pode, por fim, adormecer, mas o problema que causou o despertar noturno permanece sem solução. Mesmo se os pais checarem para ver se o bebê não está doente ou sentindo algum desconforto físico, a não ser que o peguem, interajam com ele com carinho, acalmando-o ou amamentando-o até que volte a dormir, o estresse emocional subjacente permanecerá.
>
> A abordagem mais sensata e carinhosa é responder imediatamente ao choro da criança. Lembre-se de que você é o pai e que uma de suas responsabilidades é dar ao bebê segurança e conforto. É um belo sentimento saber que você sozinho tem o poder de iluminar a vida de seu filho e eliminar todo o medo e a mágoa.

Kate Allison Granju, em *Attachment Parenting* (Pocket Books, 1999), escreve:

> Os bebês são seres extremamente dependentes, vulneráveis e desprotegidos. Seu bebê conta com você para cuidar dele com amor. Quando chora, está indicando — da única maneira que sabe fazer — que precisa de você ao lado dele.
>
> Você sabe como é horrível chorar de medo ou angústia. E não é diferente para o bebê. Quando ele chora — por qualquer que seja o motivo — ele sente mudanças físicas. A pressão arterial aumenta, os músculos tornam-se tensos e os hormônios do estresse tomam conta de seu corpinho.
>
> Bebês submetidos ao treinamento do sono por meio do choro, às vezes, parecem dormir profundamente, porque bebês e crianças pequenas geralmente caem em sono profundo após vivenciar traumas. Esse sono profundo não deve ser considerado prova da eficácia do método [do choro], mas, sim, evidência de uma de suas inúmeras conseqüências perturbadoras.

Dr. William Sears, em *Nighttime Parenting* (Plume, 1999), diz que deixar o bebê chorar até dormir cria "desprendimento dos pais" e chega mesmo a alertá-los contra o método. "Pais, gostaria de alertá-los. Problemas complicados na criação dos filhos não têm respostas simples. As crianças são muito valiosas e suas necessidades importantíssimas para que se tornem vítimas de orientações baratas, superficiais."

O Que Outros Pais Têm a Dizer sobre o Método do Choro

Ao falar com pais sobre este novo livro, muitos apresentaram-se para compartilhar as próprias experiências sobre deixar o bebê chorar até dormir.

"Quando tentamos deixar Christoph chorar até se cansar, ele chorou duas ou três horas, toda noite, durante onze noites seguidas. Tornou-se medroso e arredio durante o dia. Estamos dormindo melhor desde que abandonamos aquela idéia horrível."

— *Amy, mãe de Christoph, dez meses*

"Tentamos deixar Emily chorar sozinha até dormir quando estava com nove meses. Funcionou alguns dias e fiquei muito entusiasmada. Mas depois ela voltou ao padrão antigo. Desde então, nunca mais funcionou."

— *Christine, mãe de Emily, dezoito meses*

"Com meu primeiro filho, eu estava preocupada em agir da maneira 'certa' e, por isso, tentei o treinamento do choro. Descobri que há tantos relapsos mesmo depois de usá-lo — viagens, doenças, pesadelos, situações novas etc. — que não valia a pena. Usá-lo uma vez já foi ruim o bastante; não tive estômago para sessões múltiplas de choro."

— *Heather, mãe de Anna, quinze meses, e Brandon, três anos*

"Tentamos o método do choro; o pediatra me disse para deixá-lo chorar a noite toda se necessário. Bem, ele chorou durante quatro horas, dormiu até 2h30 da manhã e depois choramingou até que eu o acordei às 6 da manhã. Foi uma tortura absoluta! Achei que a parte do 'choro' funciona, mas ninguém dorme."

— *Silvana, mãe de Salvador, nove meses*

"Com a primogênita, trabalhamos arduamente para que dormisse no berço e, por fim, deixamos que chorasse, acreditando que estávamos agindo corretamente. Não foi a resposta certa para ela de forma alguma. Em determinado momento, ela chorou mais de uma hora e estava literalmente com a boca espumando. Fiquei tão doente com a situação e (obviamente) ainda sinto-me mal quando me lembro. A partir de então, ela dormia conosco. Agora, Angelique tem quase três anos e dorme bem na própria cama. Se tem pesadelo, é bem-vinda em nossa cama. Atualmente, estou amamentando e o nosso filho dorme conosco. Ele não dorme muito bem, mas tenho certeza de que meu papel de mãe não termina à noite. E, se o choro for a única solução, não me interessa."

— *Rachel, mãe de Jean-Paul, dez meses, e Angelique, três anos*

Como o Bebê se Sente ao Chorar até Dormir?

Ninguém pode, realmente, dizer-nos como o bebê se sente ao chorar até dormir, mas muitas pessoas tentam adivinhar — aproveitando-se do fato de o bebê não falar e, assim, ser incapaz de apresentar a sua versão. Em minhas pesquisas para este livro, assisti a um vídeo de um "especialista" em sono que afirmava: "Deixar o bebê chorar até dormir não é física ou psicologicamente prejudicial, mesmo se ele chorar durante várias horas". Pelo jeito, é a forma que ele encontrou de racionalizar e fazer os pais se sentirem melhores com o método. Fiquei tão chocada que logo transmiti as informações ao meu marido, um pai carinhoso, envolvido e presente. A afirmação o assustou tanto que ele respondeu na manhã seguinte, por e-mail, a qualquer pai que precisasse deste conselho:

> Se você acredita no que esse "especialista" diz, então está no caminho errado com seu filho. Não pense nem por um minuto que seu bebezinho não será afetado por essa atitude. Essa insensibilidade com os sentimentos de seu filho pode nascer aqui e estender-se a outras áreas à medida que ele cresce. Se ele quer que você o segure durante o dia e você está ocupado demais com seus afazeres, pode convencer-se de que ele não será permanentemente prejudicado por sua desatenção. À medida que seu filho cresce, quando desejar brincar de bola com você, que estará ocupado, ele poderá pensar que lucrará mais se brincar com os amigos. Se ele quer que você participe de alguma atividade na escola e você está exausto, poderá dizer que sua presença não é necessária. Você define um padrão na infância que persistirá pelo resto da vida no relacionamento com seu filho. Há momentos em que precisamos incentivar a independência dos filhos, mas os pais devem escolhê-los com sabedoria.

Naquele mesmo vídeo, o autor dá esta declaração aterradora aos pais que passam noites em claro: "O bebê *nunca* aprenderá a dormir a menos que chore.". Verdade? Diga isso aos meus quatro filhos que agora dormem a noite toda. Diga isso aos milhões de bebês que *acabam* dormindo a noite toda sem jamais terem experimentado o método do choro.

Ninguém realmente sabe como chorar até dormir afeta o bebê a longo prazo. Afinal de contas, não se pode criar o mesmo bebê duas vezes e observar a diferença. E ninguém sabe ao certo como o bebê se sente quando o deixamos chorar. Jean Liedloff apresenta uma idéia muito provável em sua obra sobre antropologia, *The Continuum Concept* (Addison-Wesley, 1977). Aqui, ela descreve as reações de um bebê que desperta no meio da noite:

Ele desperta, no terror insensato do silêncio, a imobilidade. Grita. Arde da cabeça aos pés com vontade, desejo e impaciência intolerável. Tenta respirar e grita até que a cabeça esteja cheia e latejante com o som. Berra até o peito doer, até a garganta arder. Não consegue mais suportar a dor, e os soluços enfraquecem e desaparecem. Ele ouve. Abre e fecha os punhos. Vira a cabeça de um lado a outro. Nada ajuda. É insuportável. Começa a chorar novamente, mas é demais para a garganta dolorida e logo pára. Acena as mãos e agita os pés. Pára, incapaz de sofrer, de pensar, de ter esperança. Ele ouve. Depois adormece mais uma vez.

Determinação Renovada, mas o Cansaço Ainda Persiste

Na verdade, ler todos aqueles livros fortaleceu minha determinação de *não* deixar meu bebê chorar até dormir. Contudo, com a perspectiva da experiência — como mãe de quatro — recusei-me a sentir culpa por querer uma boa noite de sono. Eu queria dormir. Eu queria respostas.

Tinha de haver respostas.

Minha pesquisa começou com seriedade. Pesquisei na biblioteca, nas livrarias e depois na internet. Como era de se esperar, encontrei uma abundância de artigos e histórias sobre bebês e sono. Observações e lamentos eram fáceis de encontrar. Mas e as soluções? As mesmas duas escolas de pensamento surgiam repetidamente: chorar até dormir ou conviver com o problema.

Pais, no entanto, pareciam encaixar-se apenas em uma única categoria: sem dormir e desesperados. Leesa, mãe de Kyra, nove meses, descreveu assim sua condição:

> Estou realmente perturbada, pois a falta de dormir está afetando todos os aspectos da minha vida. Parece-me que não consigo manter uma conversa inteligente. Estou extremamente desorganizada e não tenho energia nem mesmo para tentar reorganizar-me. Amo essa criança mais do que tudo no mundo e não quero fazê-la chorar, mas, todas as noites fico à beira das lágrimas pensando na hora de dormir. Às vezes, penso: “Qual o objetivo? Terei de me levantar em uma hora mesmo.”. Meu marido me procura em busca de respostas e estou quase gritando com ele: “Se eu soubesse as respostas, Kyra estaria dormindo!”.

Neste ponto de minha pesquisa, comecei a pensar que outros pais, enfrentando a provação de noites freqüentes sem dormir, teriam idéias a trocar. Portanto, procurei sites sobre o assunto, com opção de bate-papo e troca de mensagens, e encontrei inúmeros pais enfrentando o dilema de escolher entre o choro noturno e conviver com o problema. E ali, nos diálogos que citavam experiência pessoal, artigos, livros e outras fontes, além de minhas próprias experiências com meu pequeno Cole, comecei a encontrar soluções. Ali, na experiência pessoal e nos diálogos com pais que tentaram todos os métodos concebíveis, comecei a encontrar sugestões que não sentenciavam o bebê a horas de choro noturno. Encontrei as soluções que ofereciam mais opções tranqüilas para o repouso que toda a família necessitava.

Pesquisei as razões científicas de os bebês acordarem à noite e separei as verdades das fraudes, o joio do trigo. Examinei as inúmeras soluções que li, aprofundei-me em tudo que pude encontrar sobre o assunto e mantive contato regular com outros pais. Aos poucos, do meio-termo entre a crueldade do método do choro e a fadiga silenciosa de passar as noites em claro, surgiu um plano — um plano viável, zeloso para ajudar meu bebê a dormir.

Sei, Porque Vivenciei a Situação

A maioria dos livros sobre bebês e sono é escrita por especialistas que, embora bem-versados nos aspectos técnicos e fisiológicos do sono, obviamente não têm a experiência pessoal da agonia de passar noites em claro — noite após noite — com o bebê ou a dor de ouvi-los chorar no escuro. Por outro lado, vivenciei a existência obscura de noites sem dormir. E o fato de ter quatro filhos singulares deu-me o *insight* que, embora seja *possível* para um bebezinho dormir a noite toda, certamente trata-se de uma exceção à regra.

Esses livros "especializados" são, em geral, complicados, difíceis de ler e aflitivamente escassos em soluções. Passei por pilhas de livros repletos de informações sobre o sono humano, mas nenhum apresentava soluções específicas para o dilema de dormir a noite toda sem choro. Claro, o leitor aprende o mecanismo, mas ainda lhe resta uma questão básica: *Como ensinar o bebê a dormir?*

Apresento as informações necessárias em formato descomplicado, fácil de entender, para que mesmo no estado desesperador de ficar sem dormir, você possa encontrar rapidamente as soluções.

Para mostrar como era a minha situação quando comecei a trabalhar nesses conceitos, aqui está a seqüência real do despertar noturno de Cole, registrado em pedacinhos de papel em uma noite passada em claro.

Seqüência do Despertar Noturno de Cole

Doze meses de idade

20:45 Deitar na cama e amamentar, ainda acordado
21:00 Levantar novamente para ler com David e Vanessa
21:20 Ir para cama, deitar e amamentar até dormir
21:40 Finalmente! Adormeceu
23:00 Amamentar durante 10 minutos
00:46 Amamentar durante 5 minutos
01:55 Amamentar durante 10 minutos
03:38 Trocar a fralda, amamentar durante 25 minutos
04:50 Amamentar durante 10 minutos
05:27 Amamentar durante 15 minutos
06:31 Amamentar durante 15 minutos
07:02 Amamentar durante 20 minutos
07:48 Levantar. Amamentar, depois enfrentar a rotina diária
Número de vezes em que acordou durante a noite: 8
Período de sono mais longo: 1 hora e meia
Total de horas de sono noturno: 8 horas e 15 minutos
Cochilos: Um cochilo inquieto durante 45 minutos
Total de horas de sono: 9 horas

E fiz *isso* durante doze meses! Está vendo? Se você estiver vivenciando essa situação, tem toda a minha compreensão porque já passei por isso. E posso ajudá-la a acabar com as noites passadas em claro, exatamente como fiz para mim e meu bebê. Prometo.

Ao encontrar o caminho em meio a idéias e opções, experimentar e aplicar o que aprendi, este é o progresso que vivenciei vinte dias depois de criar e usar as minhas soluções para o sono do bebê:

Seqüência do Despertar Noturno de Cole

Plano de Sono adotado: 20 dias

20:00 Ir para cama. Deitar e amamentá-lo até dormir
23:38 Amamentar durante 10 minutos
04:35 Amamentar durante 10 minutos
07:15 Amamentar durante 20 minutos
08:10 Amamentar. Levantar e enfrentar a rotina diária
Número de vezes em que acordou durante a noite: 3
Período de sono mais longo: 5 horas
Total de horas de sono noturno: 11 horas e 30 minutos

Cochilos: Um cochilo tranqüilo durante 1 hora
Total de horas de sono: 12 horas e 30 minutos
Choro: ZERO

Êxito, Dia após Dia

À medida que minhas pesquisas prosseguiam, o mesmo acontecia com o êxito. Nas palavras sábias de Iyanla Vanzant em seu livro, *Yesterday, I cried* (Simon & Schuster, 2000), "Todos os professores precisam aprender. Todos os curandeiros precisam ser curados e seu ensino e trabalho de cura não cessa enquanto o processo de cura e aprendizagem continuam.".

Quando Cole começou a dormir melhor, eu estava profundamente envolvida na pesquisa e elaboração deste livro. Por isso, obviamente, continuei a aplicar o que aprendia. Mais tempo se passou e Cole *finalmente* seguiu os passos da irmã e começou a dormir dez horas seguidas sem piscar. (A princípio, eu levantava de vez em quando, preocupada, colocava a mão em seu corpinho para ver se estava respirando. Por fim, percebi que ele estava apenas dormindo tranqüilamente.)

Aqui está o novo horário de Cole após o uso das estratégias que aprendi ao escrever este livro:

Seqüência do Despertar Noturno de Cole

19:50 Cole coloca a cabeça em meu colo e **pede** para "nanar."
20:00 Ir para cama. Deitar para amamentá-lo
20:18 Dormindo
06:13 Amamentar durante 20 minutos
07:38 Levantar e enfrentar a rotina diária
Número de vezes em que acordou durante a noite: 1 (antes eram 8)
Período de sono mais longo: 10 horas (antes era 1 hora e meia)
Total de horas de sono noturno: 11 horas (antes eram 8 horas e 15 minutos)
Cochilos: Um cochilo tranqüilo durante duas horas (antes eram 45 minutos)
Total de horas de sono: 13 horas (antes eram 9 horas)
Choro: ZERO

Lembre-se de que, durante esse período, eu estava ativamente pesquisando e experimentando sugestões. Você tem a vantagem de seguir um plano organizado e, por isso, deverá obter êxito mais rapidamente. Além disso, obviamente, Cole era diferente da irmã, Vanessa, que bem novinha mergulhava no berço e acordava feliz dez horas depois. Os bebês diferem entre si assim como os adultos que cuidam deles. Mas compare esta tabela com a inicial. Embora eu tenha demorado algum tempo para chegar nesse ponto, fiquei pasma com os resultados.

Aqui está uma nota de rodapé que agradará a muitos. Durante todo o processo, continuei amamentando Cole, que também dormia comigo. Em minha experiência e trabalho com outras mães, percebi que os bebês que dormiam na cama dos pais e eram amamentados *podem* dormir a noite toda com a mãe sem acordar para mamar, ao contrário do que diz a crença popular. Se você estiver determinada a continuar amamentando e deixar o bebê dormir em sua cama, poderá fazer as duas coisas *e* também dormir!

Use Este Livro da Maneira Que lhe For Mais Útil

A boa notícia é que você, leitora e minha nova amiga, precisa envolver-se no processo apenas até o ponto que lhe for conveniente. Não terá de fazer nada desconfortável ou nada que seja agressivo para o bebê. Use apenas as sugestões que lhe agradam; mesmo usando apenas algumas delas, você e o bebê dormirão melhor.

O meu objetivo é que mãe e filho durmam a noite toda — sem que nenhum dos dois chore.

As Mamães Experimentais

Assim que constatei êxito com Cole, procurei outras famílias que lutavam com o mesmo problema — bebês acordando várias vezes durante a noite. Reuni um grupo de sessenta mulheres dispostas a testar minhas sugestões. Esse grupo experimental é variado e interessante! Quando nos encontramos pela primeira vez, a idade dos bebês variava de dois a vinte e sete meses. Havia até uma criança com cinco anos de idade e problemas para dormir. Para algumas, era o primeiro filho, outras tinham filhos mais velhos e uma mãe tinha gêmeos. Algumas trabalham fora de casa, outras apenas em casa. Algumas amamentam, outras já usam mamadeira. Algumas dormem com o bebê, outras o colocam no berço e várias adotam as duas opções. Há casadas e solteiras. Elas moram nos Estados Unidos e Canadá, mas há algumas em outros países também. Todas são diferentes — porém são exatamente iguais em um aspecto importante: quando nos encontramos pela primeira vez, todas enfrentavam as noites passadas em claro.

Elas se dispuseram a preencher as planilhas de horários a cada dez dias e enviavam-me por e-mail regularmente, para manter-me informada de seu progresso. Faziam perguntas e, à medida que trabalhávamos no meu plano de sono, forneciam informações e um retorno que me ajudavam a aprimorar minhas idéias.

A Prova! Funciona!

No início de nosso trabalho, *nenhuma* das sessenta mães tinha bebês dormindo a noite toda, segundo a definição médica, ou seja, quando o bebê dorme durante cinco horas ou mais sem acordar.

À medida que as mamães experimentais seguiam as sugestões em *Soluções para Noites sem Choro*:

- No décimo dia, 42% dos bebês estavam dormindo a noite toda.
- No vigésimo dia, 53% dormiam a noite toda.
- No sexagésimo dia, 92% dormiam a noite toda.

Assim que esses bebês atingiram o marco de cinco horas de sono, continuaram a obter mais êxito, alguns dormindo de nove a treze horas.

Quanto Tempo o Bebê Levará para Dormir?

Não se esqueça de que essa transformação leva tempo. Nada de choro, mas nada de pressa também. Eu gostaria que você *tivesse* resultados em um dia — certamente não posso prometer isso —, mas prometo que a situação *vai melhorar* à medida que seguir as sugestões.

A verdade irrefutável é que não podemos mudar uma situação confortável de alguém que adora dormir (mas que acorda a noite toda) para a rotina do "vá para a cama e durma sozinho" sem um destes dois elementos: choro ou tempo. Pessoalmente, prefiro o tempo. E isso implica *paciência* e pode representar apenas a primeira oportunidade de ensinar à criança essa virtude.

Os pais solicitam minha ajuda porque o filho de *cinco anos de idade* ainda acorda à noite. Tenha paciência, confie e procure entender a situação. O meu plano de sono *não* levará cinco anos para produzir o efeito desejado!

A Vivência das Mães Experimentais

Ajuda muito saber o que outros pais vivenciaram. A seguir, veja as declarações de algumas mães.

Lisa, mãe de duas garotinhas, com um e cinco anos de idade — ambas com problemas para dormir —, escreveu-me na primeira carta:

> Jen tem cinco anos e dormiu conosco até a idade de um ano, quando tentamos mudá-la para a própria cama. Desde então, ela vem ao nosso quarto TODA noite. Sim, toda noite nos últimos quatro anos! Nosso bebê, Elizabeth ... bem, com um ano de idade ela ainda acorda três a cinco vezes por noite. Sinto-me extremamente ansiosa. Durante a noite, ouço o relógio sobre a mesa de cabeceira marcar os minutos, esperando que uma das duas me chame e, a cada minuto, a situação parece intensificar-se. Na maioria das vezes, não agüento e choro. Sentada aqui esta manhã, com o café ao meu lado, a situação não parece TÃO ruim, mas tenho que admitir que ainda sinto vontade de chorar. Não posso continuar assim. SOCORRO.

Cinco semanas depois, ela enviou-me esta mensagem por e-mail:

> Sei que ainda não é o momento de outra tabela, mas precisava lhe contar o que está acontecendo. Beth adormece às 20h30 e acorda apenas UMA VEZ! E levanta-se às 7h30! Mal posso acreditar!
>
> Jennifer também está NO PRÓPRIO QUARTO a noite *TODA* há dez dias seguidos! Está muito orgulhosa de si, e eu também!
>
> ESTÁ FUNCIONANDO! ESTÁ FUNCIONANDO! ESTÁ FUNCIONANDO!

Kim, mãe solteira de Mathieau, treze meses, disse o seguinte quando começamos a trabalhar com os hábitos noturnos do bebê:

> Bem, a situação não está de acordo com os meus planos. Tentei colocá-lo na cama às 19h30 — tentei embalá-lo, amamentá-lo, colocá-lo no berço, afagar-lhe as costas, embalá-lo novamente e amamentá-lo mais uma vez, e ele finalmente dormiu às 20h45. Honestamente, não sei qual foi o problema esta noite. Espero que não continue assim. Quero muito que funcione. Sinto-me tão frustrada.

Três semanas depois, Kim escreveu:

> Oi! Sei que lhe escrevi há dois dias sobre Mathieau dormir a noite toda, mas preciso lhe contar uma coisa. Mathieau dormiu a noite toda durante três — sim, pode contar, três — noites seguidas. Você acredita? Na verdade, sinto-me como uma mãe funcional agora. Ele deixou-me dormir pela manhã também. Acordou por volta das 6h30 para mamar e voltou a dormir até 9 horas. Senti-me tão disposta hoje. E, além disso, a babá finalmente conseguiu que ele tirasse uma soneca também! Hoje, quando fui buscá-lo, ainda

estava dormindo — dormia há quase duas horas! Estou muito eufórica com o fato de as suas sugestões estarem funcionando conosco. Nunca esperei esses resultados tão rapidamente. Fizemos um progresso ENORME e nada teríamos conseguido sem suas sugestões. Sem dúvida, você está no caminho certo e mudará a vida de muita gente.

Mãe de um bebê de três meses, Christine expressou o seguinte quando falamos pela primeira vez:

Nossa família está ficando estressada com a inconsistência do sono de Ryan. Meu marido não pode mais dormir na cama conosco e, por isso, mudou-se relutante para o quarto de hóspedes. Estou apavorada porque não conseguirei produzir quando voltar ao trabalho se continuar levantando a noite toda. Tentei deixá-lo chorar até dormir, mas foi um pesadelo ver o meu bebezinho sempre tranqüilo e alegre chorar tanto, transpirar e parecer amedrontado e sozinho. Realmente espero que você possa nos ajudar.

A tabela de Christine, apenas quarenta e cinco dias depois, diz tudo:

19:30 Dormir
06:00 Alimentar
07:30 Levantar e enfrentar a rotina diária
Número de vezes em que acordou durante a noite: 1 (antes eram 10)
Período de sono mais longo: 10 horas e meia felizes e maravilhosas (antes eram 3)
Total de horas de sono noturno: 10 horas e meia

Emily, mãe de Alex, doze meses, acrescentou essas informações em sua primeira mensagem:

Alex dorme com a boca em meu seio e o corpo, na posição horizontal, sobre o meu. Às vezes, ele dorme ao meu lado, mas logo acorda, geralmente cinco minutos depois, e então volta a ficar sobre mim.

A mãe triunfante de Alex enviou-me esta mensagem trinta dias depois de seguir *Soluções para Noites Sem Choro*:

Esta será minha última tabela agora que meu pequeno Alex está dormindo maravilhosamente bem. Ele adormece às 20 horas e depois eu o coloco em nossa cama, geralmente enquanto me levanto e tomo banho. (Obviamente, a cama tem proteção e nós o observamos atentamente.) Alex, às vezes, acorda uma vez durante a noite para mamar, mas leva apenas alguns segundos para dormir novamente. Acho que ele acorda várias outras vezes

> durante a noite, mas não precisa de minha ajuda para pegar no sono de novo. Acorda por volta das 7h30 da manhã, alegre e descansado.
>
> É difícil acreditar que seja o mesmo bebê de antes. A diferença em seus hábitos de dormir é incrível.

E isto veio de Marsha, outra mãe cujo bebê dormia em seu peito:

> Ontem à noite, Kailee foi dormir às 20h30. Acordou algumas vezes entre 8 e 10, mas logo acalmou-se. Só acordou novamente às 8 da manhã! Tenho certeza de que você compreende que estou no paraíso. Kailee deixou de dormir sobre mim a noite toda e acordar para mamar oito a dez vezes por noite para dormir 11-12 horas e meia seguidas. Nunca pensei que um dia veria meu bebê dormindo assim. Você é uma heroína para nós. Eu gostaria que você tivesse feito esse estudo quando minha primogênita nasceu.

Lembra-se da mãe, que citei antes, que disse: "Estou realmente perturbada, pois a falta de dormir está afetando todos os aspectos da minha vida."? Dois meses depois de começar a seguir meu plano, Leesa escreveu: "Na última semana Kyra acordou apenas UMA VEZ, às 3h30 da manhã, para mamar! Ah, ah, ah! Estou quase tonta de tanto dormir!".

Mais citações de mães participantes do meu experimento aparecem no livro em seções denominadas Depoimento de Mãe. O livro também contém várias fotos dos bebês dormindo.

Você Também Pode Dormir

Não há motivo para você viver sem dormir, como mártir. *Existem* maneiras de fazer seu bebê dormir sem a choradeira noturna. Ação é o segredo — ação que a fortalecerá e a motivará durante as semanas seguintes. Portanto, experimente *Soluções para Noites Sem Choro* e espere os resultados. Talvez você não passe diretamente de acordar de hora em hora para dez horas consecutivas de sono, mas você *passará* do despertar de hora em hora para cada três ... quatro horas ... até, por fim, dormir a noite toda.

Pouco depois, *você* voltará a acordar de hora em hora, esperando o carro entrar na garagem, as chaves caírem sobre a mesa da cozinha, os passos ressoarem na escada até o quarto de seu filho adolescente. O tempo passa rápido demais.

Peço-lhe que *seja paciente* ao passar pelas etapas. É importantíssimo. Quando o bebê estiver triste ou começar a chorar (eu disse "começar" a chorar, não gritar durante dez minutos!), carregue-o, embale-o, procure amamentá-lo ou faça aquilo que seu coração pedir para acalmá-lo. A cada dia, você se aproximará um pouco mais de seu objetivo e, sabendo disso, poderá ser mais carinhosa e paciente.

Lembre-se, também, de que a aparente incapacidade do bebê de adormecer sozinho não é culpa dele. Ele age assim desde o dia em que nasceu e não gostaria de mudar. A meta é ajudá-lo a sentir-se amado e protegido enquanto você o ajuda a encontrar maneiras de adormecer sozinho.

Depoimento de Mãe

"Sei que levará algum tempo para ver resultados positivos, mas, após sete meses de exaustão e falta total de sono, saber que estarei dormindo novamente daqui a um mês é como receber a salvação."

Tammy, mãe de Brooklyn, sete meses

Resumindo, não creio que o bebê deva ficar sozinho ou chorar até dormir. Ou mesmo deixar que chore, enquanto você vem a cada dez minutos para murmurar palavras de conforto sem tocá-lo. Mas sei também que você pode — com carinho e dedicação — ajudá-lo a dormir *tranqüilamente* a noite toda.

Parte 1

Dez Passos para Ajudar o Bebê a Dormir a Noite Toda

Esta parte do livro cobrirá os passos a serem seguidos à medida que você cria sua própria solução para o sono do bebê. Se desejar, poderá utilizar esta página como referência conforme completar os passos:

Primeiro Passo: Verifique a Segurança (página 3)

Segundo Passo: Aprenda Fatos Básicos sobre o Sono (página 15)

Terceiro Passo: Crie Suas Planilhas de Sono (página 25)

Quarto Passo: Analise e Escolha Soluções para o Sono (Recém-nascidos, página 36; Bebês a Partir de Quatro Meses (Página 55)

Quinto Passo: Crie Seu Plano de Sono (página 109)

Sexto Passo: Siga o Plano por Dez Dias (página 117)

Sétimo Passo: Elabore uma Planilha de Dez Dias (página 121)

Oitavo Passo: Analise Seu Sucesso (página 125) e reveja o plano, se necessário

Nono Passo: Siga Seu Plano por Mais Dez Dias (página 147)

Décimo Passo: Preencha a Planilha, Analise Seu Sucesso e Refaça o Plano, se Necessário, a Cada Dez Dias (página 153)

1

Verifique a Segurança

Visto que você não dorme bem desde a gravidez ou desde o nascimento do bebê, talvez ache que nada lhe é mais importante agora do que uma boa noite de sono. Mas, na verdade, há algo muito mais importante do que dormir: a segurança do bebê. Portanto, é fundamental que ela seja nosso primeiro tópico.

Na ânsia de obter mais alguns minutos de sono, pais bem-intencionados, mas que não dormem, cometem erros. Ouvi e li a respeito de muitas situações onde os pais colocam os bebês em circunstâncias arriscadas, tudo em nome de umas horas de sono. Aqui estão algumas dessas histórias. Eu incluí apenas aquelas com final feliz, mas, infelizmente, muitas terminam de forma trágica.

- Pais de um recém-nascido sabiam que não deveriam deixar a colcha felpuda na cama com o bebê, mas sentiam frio sem ela. Uma noite, a mãe acordou e o encontrou sob a colcha pesada.
- Uma certa mãe ficou tão contente quando o bebê adormeceu no sofá que resolveu deixá-lo ali mesmo e foi trabalhar no computador. A pancada seca a levou de volta correndo para a sala onde encontrou o bebê no chão, chorando.
- A mãe com o bebê que se recusava a dormir confessou que, quando ele adormeceu no banco do carro, ela o deixou dormindo na garagem e foi preparar o jantar. Não queria correr o risco de despertá-lo ao levá-lo para o berço.
- Os pais de um garotinho ganharam, de parentes, um lindo berço antigo com a cabeceira trabalhada. Eles pretendiam investigar a segurança do berço, mas nunca o fizeram. Uma noite, acordaram com os gritos do bebê. Correram ao quarto e o encontraram preso entre a cabeceira e o colchão.

Muitos dos erros de segurança cometidos pelos pais são conseqüências de decisões erradas, ao passo que outros decorrem da falta de conhecimento. Neste capítulo importante, você aprenderá o que é necessário saber sobre a segurança do sono do bebê.

Segurança em Primeiro Lugar

Sim, você está cansada, talvez cansada demais para ler todas as inúmeras informações, pesquisas e diretrizes existentes sobre o assunto de segurança. Talvez você as leia logo, mas suas boas intenções não bastam para manter seu bebê seguro, e precisa dessas informações imediatamente.

Por mais cansada que esteja, por mais tentadora que a situação pareça, esteja certa de que a segurança do bebê está acima de tudo.

Reuni informações sobre segurança de inúmeras fontes e autoridades confiáveis, incluindo-se Consumer Product Safety Commission (CPSC), American Academy of Pediatrics (AAP), Sudden Infant Death Syndrome Alliance, National Institute of Child Health and Human Development e Foundation for the Study of Infant Deaths. E, de tudo isso, criei uma relação de referências para a segurança do sono para que você estude. Peço-lhe que leia esta breve seção, analisando-a profundamente.

Lembre-se de que essas listas cobrem questões de segurança relativas ao *sono* em *casa*. Naturalmente, devemos estar cientes de muitas outras questões de segurança em casa e fora dela. Além disso, pelo fato das precauções de segurança serem constantemente atualizadas — e porque todos os bebês (e famílias) são diferentes —, nenhuma lista de verificação é completa e adequada para todos. Por isso, converse com o pediatra sobre o seu bebê. Faça seus deveres de casa e coloque sempre a segurança acima de tudo.

A Questão de Segurança Mais Importante: Sids (Síndrome da Morte Infantil Súbita)

A Síndrome da Morte Infantil Súbita (Sids, na sigla em inglês), é uma das principais preocupações de todos os pais. Sids é a morte súbita e inexplicável de bebês com menos de um ano de idade. Também conhecida como morte no berço, a Sids é a principal causa de mortalidade entre bebês de um mês a um ano de idade. A maioria das mortes causadas pela Sids ocorre quando o bebê tem entre um e quatro meses. A morte é súbita e imprevisível, geralmente durante o sono; quase sempre, o bebê parece saudável. Após trinta anos de pesquisa, os cientistas ainda não conseguiram encontrar a causa definitiva ou o conjunto de causas para Sids, ou a maneira de prevê-la ou preveni-la. Mas as pesquisas revelam alguns fatores que parecem reduzir esse risco, os quais acrescentei às informações e listas sobre segurança que você verá a seguir. (Essas informações sobre Sids são do U.S. Public Health Service, American Academy of Pediatrics, Sids Alliance e Association of Sids and Infant Mortality Programs, Sids "Back to Sleep" Campaign.)

Dormir de Costas

Muitos bebês parecem dormir melhor e por mais tempo de bruços. Contudo, inúmeros estudos comprovaram cientificamente que esses bebês são mais suscetíveis a Sids. Essa porcentagem estatística significa que nem todo bebê que dorme de bruços morre de Sids, e evitar dormir de bruços não é garantia total de que isso não ocorrerá. No entanto, é a recomendação mais importante. Embora alguns bebês realmente se beneficiem ao dormir de bruços, dormir de costas é mais seguro para a maioria. É preciso conversar com o pediatra em cada caso.

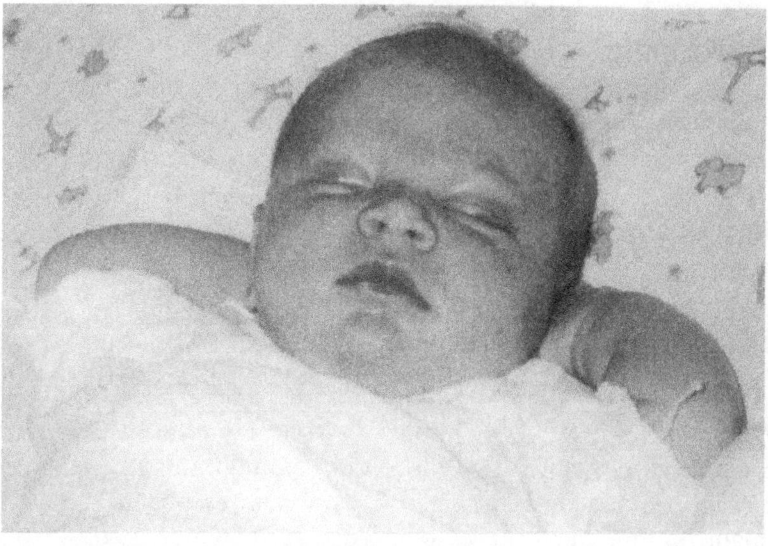

Zoey, três semanas

Várias teorias defendem a recomendação de dormir de costas. Uma é que alguns bebês que morrem de Sids caem em sono profundo e não erguem a cabeça para respirar. A outra teoria é que a pressão sobre o tórax do bebezinho comprime o diafragma, impedindo-o de respirar profundamente. Qualquer que seja a razão, o fato é que com todas as interrogações em torno da Sids, colocar o bebê para dormir de costas é a única ação comprovada para a redução do risco.

Em todas as minhas pesquisas, não consegui determinar a idade exata na qual dormir de bruços é seguro. Contudo, a maioria dos pesquisadores costuma dizer que, quando o bebê consegue manter a cabeça ereta e rolar sozinho, com facilidade, de costas e de bruços, pode-se colocá-lo para dormir de costas e deixá-lo encontrar a posição mais confortável. Enquanto isso, se o seu médico confirmar que dormir de costas é o melhor para o bebê, obedeça-o. Se o bebezinho resiste a essa posição, use as seguintes sugestões para incentivá-lo a dormir de costas.

- Deixe-o cochilar no banco do carro, carrinho ou cadeirinha. Dormir em qualquer um desses locais o manterá levemente curvado e não na horizontal como no colchão; muitos bebês que dormem de bruços gostam muito mais dessa posição. Siga todas as precauções de segurança, que incluem manter o bebê perto de você. (Os fabricantes de bancos de carro, carrinhos e cadeirinhas recomendam aos pais que nunca deixem o bebê sozinho.) Preste atenção para ele não se inclinar muito para a frente.
- Se for recém-nascido, tente enfaixá-lo para dormir. (Ver página 51) Embrulhar o bebê em cobertor impede que acorde em conseqüência de sobressaltos naturais.
- Espere até o bebê adormecer profundamente antes de virá-lo. Reconhecemos o sono profundo quando os membros ficam relaxados e a respiração, regular e constante.
- Fale com o médico sobre a possibilidade de outra opção: dormir de lado. Pergunte se um travesseiro pequeno ou cobertorzinho, firmemente enrolado, pode ser utilizado para manter o bebê nessa posição.
- Embora existam diversos produtos para manter o bebê dormindo de costas, sua segurança não foi testada e ainda não são recomendados. Há vários elementos projetados para manter o bebê enfaixado enquanto dorme de costas e começam a ser comercializados. Consulte o médico sobre novos produtos.
- Por fim, se você ainda prefere que o bebê durma de bruços, ou se o médico aprova essa posição, certifique-se de que o colchão seja firme, regular e plano, e que todas as vezes que o coloca na cama os lençóis estejam esticados e bem presos. Além disso, não deixe travesseiros,

cobertores ou brinquedos junto com o bebê. Se ainda tiver dúvidas, consulte o médico sobre a possibilidade de alugar um monitor infantil sofisticado para que possa acompanhar sons, movimentos e respiração.

Depoimento de Mãe

"Eu sempre entrava no quarto para virar Coby, e às vezes ele acordava, me via e queria mamar. Por isso aprendi a me esconder atrás da grade do berço para ajeitá-lo. Funcionou!"

Jennifer, mãe de Coby, cinco meses

Quando o bebê estiver dormindo de costas:

- Não o deixe dormir na mesma posição a noite toda ou durante o cochilo diurno. Mexa a cabeça de um lado para outro e varie a posição no berço ou a posição do próprio berço para incentivá-lo a olhar em todas as direções. Isso impedirá que a nuca do bebê se torne achatada (uma condição denominada plagiocefalia).
- Evite deixá-lo deitado de costas no carrinho, banco do carro ou moisés (bebê conforto) por longos períodos durante o dia.
- Coloque-o de bruços quando estiver acordado para encorajar o movimento da cabeça e corpo e o desenvolvimento físico de todos os grupos musculares.

Dormir de Costas na Creche

Segundo alguns estudos, 20% de mortes por Sids ocorrem em creches e similares. Nem todos esses locais têm políticas em relação à melhor posição para o bebê dormir e, mesmo que tenham, nem todos os que ali trabalham seguem as diretrizes recomendadas pela American Academy of Pediatrics — AAP. É importante saber que os bebês não acostumados a dormir de bruços correm maior risco de morte por Sids se forem colocados nessa posição. Verifique as políticas da creche e certifique-se de que estejam colocando seu bebê na posição adequada para dormir, segundo as recomendações de seu médico.

Precauções Gerais para o Sono Seguro de Todas as Famílias

- Não permita fumantes perto do bebê, dormindo ou acordado. Bebês expostos ao fumo apresentam maior risco de Sids, assim como outras complicações como a asma.
- Se seu filho passa muito tempo com a assistente de creche, babá, avós ou outros, insista para que sigam as diretrizes de segurança.
- Mantenha-o aquecido, mas não *muito*. Deixe o quarto em temperatura agradável para dormir, entre 18 e 22 graus. Cuidado para não superaquecer o bebê. Se o recém-nascido sai do hospital usando touca, pergunte ao médico se deve usá-la para dormir e durante quanto tempo. A touca pode contribuir para o superaquecimento.
- Não use cobertores ou edredom sob ou sobre o bebê, pois podem prendê-lo ou sufocá-lo. Porém, quando a temperatura exigir, vista-o com roupas mais quentes e camisetinha.
- Vista-o com roupas resistentes ao fogo e mais justas. Evite roupas muito largas e folgadas, feitas de algodão ou mistura de algodão, pois elas representam risco de queimadura em caso de incêndio ou mesmo com a proximidade do fogão ou da lareira.
- Não permita que o bebê durma em superfícies macias como travesseiro, sofá, colchão de água, cadeira acolchoada, colchão de molas, bloco de espuma, tapete de pele de carneiro, colchão de penas ou qualquer outra superfície macia e flexível. O bebê deve dormir apenas em colchão firme e plano, com lençol macio, esticado, firmemente preso ao redor do colchão.
- Não deixe bichinhos de pelúcia ou travesseiros na cama com o bebê. Deixe apenas o objeto “preferido”, pequeno e seguro, como descrito nas páginas 78-80, com o bebê acima de quatro meses de idade, que já consegue rolar, erguer e mexer a cabeça com facilidade.
- Mantenha abajures, lanternas e demais aparelhos elétricos longe do local onde o bebê dorme.
- Certifique-se de que o detector de fumaça no quarto do bebê funcione e siga as instruções do fabricante para manutenção.
- Não coloque o bebê para dormir perto de janelas, persianas, fios ou cortinas.
- Se o bebê estiver doente ou febril, chame o médico imediatamente.

- Mantenha o esquema regular de visitas ao médico para exames gerais.
- Nunca sacuda ou bata no bebê. (A National Commission on Sleep Disorders Research concluiu que o abuso infantil geralmente ocorre quando o pai está exausto, sem dormir e a ponto de explodir. Se você acha que pode perder a paciência com o bebê, coloque-o em lugar seguro ou com outra pessoa que possa cuidar dele e procure descansar um pouco.)
- Nunca prenda a chupeta ao bebê com barbante, fita ou cordão, pois podem enrolar-se em torno do dedo, da mão ou do pescoço.
- Siga todas as precauções de segurança quando o bebê estiver dormindo fora de casa, seja no banco do carro, carrinho ou lugar desconhecido. Dedique seu tempo e cuidado para criar um lugar seguro para ele dormir, não importa onde estiver.
- Nunca o deixe sozinho no carrinho, cadeirinha, moisés ou banco do carro.
- Nunca deixe animais de estimação aproximarem-se do bebê adormecido.
- Aprenda a fazer ressuscitação cardiopulmonar infantil (RCP). Certifique-se de que todos aqueles que cuidam de seu bebê recebam treinamento em RCP infantil.
- Mantenha o ambiente do bebê limpo. Lave freqüentemente as roupas de cama. Lave as mãos depois de trocar fraldas e antes de amamentar ou preparar a mamadeira. Lave sempre as mãos e o rosto do bebê.
- Amamente-o sempre que possível. O leite materno reduz o risco de certas doenças e infecções que, por sua vez, podem reduzir o risco de Sids e outros problemas de saúde.
- Preste atenção a sua própria saúde e bem-estar. Ansiedade, pânico, confusão mental, tristeza, pesar, irritabilidade ou desânimo podem significar depressão pós-parto. Procure o médico e explique os sintomas. Essa condição é comum e há tratamento.

Precauções Gerais de Segurança para Berços

- Certifique-se de que o berço do bebê atenda a todas as regulamentações federais de segurança, padrões industriais e diretrizes das recomendações mais recentes da CPSC, comissão de segurança de produtos de consumo, nos EUA, ou, no Brasil, do Inmetro, Sistema Nacional de Metrologia, Normalização e Qualidade Industrial. Procure o selo de garantia. Evite berços antigos ou usados.

- Certifique-se de que o colchão se encaixe perfeitamente ao estrado, sem deixar quaisquer espaços nas laterais. (Se o vão for maior do que dois dedos, troque o colchão.)
- Certifique-se de que o bebê não poderá puxar os lençóis, podendo criar um emaranhado perigoso com o tecido. Não use capa plástica para o colchão ou deixe qualquer saco plástico próximo ao berço.
- Remova quaisquer fitas, laços ou barbantes decorativos. Se usar protetores de grade, estes devem circundar todo o berço, presos em diversos pontos, no mínimo em cada canto e no meio de cada lado. Amarre-os firmemente e corte pontas de cordões etc.
- Remova os protetores de grade antes de o bebê atingir idade suficiente para erguer-se com o auxílio de mãos e pés. Se ele consegue levantar-se, certifique-se de que o colchão esteja o mais baixo possível. Além disso, inspecione a área em torno do berço para evitar quaisquer situações perigosas caso ele consiga descer.
- Certifique-se de que todos os parafusos, molas e outros elementos estejam firmemente presos, verificando-os de tempos em tempos. Substitua imediatamente quaisquer peças quebradas ou inexistentes. Veja se o berço tem fundo firme e base larga e estável para não virar ou inclinar-se com os movimentos do bebê. Verifique se as grades estão firmes e estáveis e se o espaçamento não supera 60 milímetros.
- As hastes dos cantos não devem estender-se mais de 1 milímetro acima da cabeceira. Não use berços com saliências decorativas nas hastes dos cantos ou modelos com extremidades perigosas, como bordas cortantes, pontas ou peças que podem se soltar ou ser removidas. Mantenha a grade erguida e travada. Certifique-se de que o bebê não seja capaz de soltar as travas.
- Não pendure objetos sobre o bebê adormecido ou sozinho, incluindo móbiles e outros enfeites para berços. Há o risco de o objeto cair sobre o bebê ou de ele esticar a mão e puxá-lo para o berço.
- Se estiver usando um berço portátil (moisés), verifique se os dispositivos de travamento estão em perfeitas condições.
- Veja se a distância entre sua cama e o berço lhe permite ouvir o bebê ou então utilize uma babá eletrônica de boa qualidade, deixando-a sempre ligada.
- Verifique as instruções do fabricante sobre o tamanho sugerido ou peso máximo para qualquer berço, banheira e canguru. Se não hou-

ver etiquetas informativas nos objetos, entre em contato com o fabricante para obter os dados desejados.

- Qualquer berço ou cama onde o bebê dorme quando está longe de casa precisa atender a todos os requisitos de segurança mencionados acima.

Precauções Gerais de Segurança para Bebês que Dormem na Cama com os Pais

A segurança de colocar o bebê na cama de adultos é amplamente discutida. Os nossos quatro filhos sempre foram bem-vindos em nossa cama quando bebês. Meu marido, Robert, e eu naturalmente permitimos que nossos filhos compartilhassem nossa cama, e eles também gostavam de dormir uns com os outros. É importantíssimo ressaltar que sempre seguimos religiosamente todas as recomendações de segurança conhecidas para que dormissem conosco.

Contudo, a título de informação e para apresentar o parecer legal, em 1999 a U.S. CPSC anunciou a recomendação contra a prática de bebês com menos de dois anos de idade dormirem na cama com os pais. Contudo, algumas pesquisas mostram que, como nós, quase 70% dos pais adotam essa prática, durante parte da noite ou a noite toda. A maioria dos pais que *opta* por essa prática está profundamente comprometida com ela, e aponta inúmeros benefícios.

O alerta do CPSC é polêmico e provoca debate acirrado entre pais, médicos e especialistas em desenvolvimento infantil sobre a precisão e adequabilidade da recomendação. Muitos acreditam que a questão exige mais pesquisas. Enquanto isso, é importantíssimo investigar todos os pontos de vista e tomar a decisão certa para sua família. Mesmo se você não se sentir à vontade dormindo com o recém-nascido, talvez o faça quando ele estiver maior, se for adequado para a família.

As referências e lista de segurança, que verá a seguir, sobre bebês que dormem na cama com os pais, não têm por objetivo indicar permissão para a prática, mas são apresentadas a título de informação para os pais que pesquisaram a questão e fizeram a escolha consciente de adotá-la.

Onde quer que você escolha colocar o bebê para dormir, é importante tomar medidas de precaução para mantê-lo seguro. Se ele dorme com os pais, à noite ou durante o dia, eles devem obedecer as seguintes diretrizes de segurança:

- A cama precisa ser completamente segura para o bebê. A melhor opção é colocar o colchão no chão, certificando-se de que não haja vãos onde o bebê possa ficar preso. Verifique se o colchão é firme, plano e regular. Não permita que o bebê durma em superfícies macias como colchão de água, sofá, colchão de molas ou qualquer outra superfície flexível.
- Verifique se os lençóis estão bem esticados e presos ao redor do colchão.
- Se a cama for elevada em relação ao piso, use grades para impedir que o bebê caia, e tome cuidados especiais para que não haja vãos entre o colchão, a cabeceira e os pés da cama. (Algumas grades adequadas para crianças maiores não são seguras para bebês porque seu espaçamento é maior e poderão prendê-los.)
- Se a cama está encostada à parede ou a outros móveis, verifique, toda noite, se não há vãos entre o colchão e a parede ou móveis onde o bebê possa ficar preso.
- O bebê deve ficar entre a mãe e a parede ou grade. Pais, irmãos, avós e babás não têm o mesmo instinto da mãe em relação à posição do bebê. Mães, prestem atenção a sua própria sensibilidade. O pequenino deve acordá-la ao menor movimento ou barulho — às vezes basta um resmungo ou fungadela. Caso a mãe tenha o sono pesado, acordando apenas quando o bebê chora muito, considere a possibilidade de colocá-lo no berço ao lado de sua cama.
- Use um colchão grande que ofereça espaço suficiente para o movimento de todos.
- Considere a possibilidade de colocar o berço diretamente ao lado da cama.
- Verifique se o quarto onde o bebê dorme, ou qualquer outro ao qual ele tenha acesso, é seguro. (Imagine o bebê descendo da cama para explorar a casa enquanto você dorme. Mesmo que ele não tenha feito isso ainda, pode ter certeza de que o fará mais cedo ou mais tarde!)
- Jamais durma com o bebê se ingeriu bebidas alcoólicas, usou drogas ou medicamentos, tem o sono pesado ou sofre com a falta de dormir e tem dificuldades para acordar.
- Não durma com o bebê se estiver com o peso acima do normal, pois determinou-se que o excesso de peso dos pais é um fator de risco para o bebê. Embora eu não saiba a proporção correta entre o peso dos pais e o do bebê, pode-se analisar como o bebê se posiciona em rela-

ção aos pais. Se ele rola em sua direção, se há uma grande depressão no colchão ou se os pais suspeitarem de qualquer outra situação perigosa, coloque-o no berço ao lado da cama.

- Retire todos os travesseiros e cobertores durante os primeiros meses. Tenha extrema cautela ao usá-los à medida que o bebê cresce. Os pais e o bebê devem usar roupas quentes. (Uma dica para mães que estão amamentando: use uma camiseta velha, cortada ao meio, no decote, sob o pijama para se aquecer melhor.) Lembre-se de que o calor corporal aumentará durante a noite. Não deixe que o bebê fique superaquecido.
- Não durma com roupas que tenham cordões ou fitas longas. Não durma com jóias ou bijuterias e, se tiver cabelos longos, prenda-os.
- Não use perfume ou loção de odor forte que possam perturbar os sentidos delicados do bebê.
- Não deixe animais de estimação dormirem na cama com o bebê.
- Nunca deixe o bebê sozinho na cama de casal, a menos que seja totalmente seguro. Por exemplo, coloque-o sobre o colchão no chão em um quarto seguro quando estiver nas proximidades ou usando uma babá eletrônica de boa qualidade para monitorá-lo.
- Atualmente não há dispositivos de segurança comprovados para a proteção de bebês em camas de casal. Contudo, em conseqüência de inúmeros pais que desejam dormir em segurança com o bebê, várias invenções começam a surgir no mercado.

2

Aprenda Fatos Básicos sobre o Sono

Grande parte da literatura sobre bebês e sono sugere que os pais leiam um livro inteiro sobre o sono humano antes de fazerem qualquer mudança. Quando as pálpebras ameaçam fechar-se antes do término do primeiro capítulo, a leitura torna-se um exercício fútil. Não se aprende os fatos, não se elabora o plano, o problema permanece sem solução e mais um pai se submete a um ou dois anos de noites em claro.

Portanto, tentarei apresentar aqui apenas as informações necessárias, resumidas, com alguns fatos básicos e importantes sobre o sono, que precisam ser conhecidos. Assim, você poderá prosseguir com o motivo real pelo qual está lendo este livro: elaborar e pôr em prática o plano certo para você e o bebê dormirem bem.

Como Dormimos?

Adormecemos, dormimos a noite toda e depois acordamos pela manhã, certo? Errado! Durante a noite, passamos por um ciclo de sono, percorrendo-o como se fosse uma onda. Passamos do sono leve ao profundo, sonhando a noite toda. Entre esses estágios, voltamos rapidamente à superfície, sem despertar totalmente. Ajeitamos o travesseiro, puxamos o cobertor ou viramos de lado, mas em geral voltamos a dormir praticamente sem qualquer lembrança do episódio.

Nosso sono é regulado por um relógio interno que os cientistas denominam de *relógio biológico* ou *ritmo circadiano* (período de um dia). E descobriram que, curiosamente, esse relógio segue um dia de vinte e cinco horas — o que significa que precisamos acertá-lo continuamente, sobretudo com nossa rotina de dormir e despertar e exposição à claridade e à escuridão.

O relógio biológico também tem momentos específicos do dia destinados ao sono ou ao despertar. Essa é a causa da diferença de fuso horário quando viajamos de avião, assim como dos problemas de sono que incomodam os trabalhadores de turnos. É por isso também que é difícil acordar na segunda-feira de manhã — deitar e acordar tarde no final de semana perturba os ritmos estabelecidos e precisamos acertar o relógio interno, começando com o momento em que o despertador toca na manhã de segunda-feira.

Esse ritmo circadiano afeta nossa percepção durante diversas partes do dia. Há momentos naturais para o sono e o estado de alerta. O cérebro procura um estado de equilíbrio bioquímico entre dormir e despertar e, quando a balança pende para o sono, nos sentimos cansados. Esse ritmo explica por que muitas pessoas têm queda de produção no meio da tarde, e por que algumas culturas adotam a rotina da sesta (descanso à tarde). O relógio biológico humano reduz seu estado de alerta, acompanhado por um período de energia ativa que dura até tarde da noite, quando tem início a sonolência. Esses padrões mudam com as etapas da vida. O padrão do bebê não é o mesmo de uma criança maior que, por sua vez, difere do adulto e, este, do idoso.

Como os Bebês Dormem?

O bebê não nasce com o ritmo circadiano do adulto. Os ciclos de dormir e despertar do recém-nascido espalham-se pelo dia e pela noite, gradualmente estabelecendo um padrão definido de sono diurno e noturno.

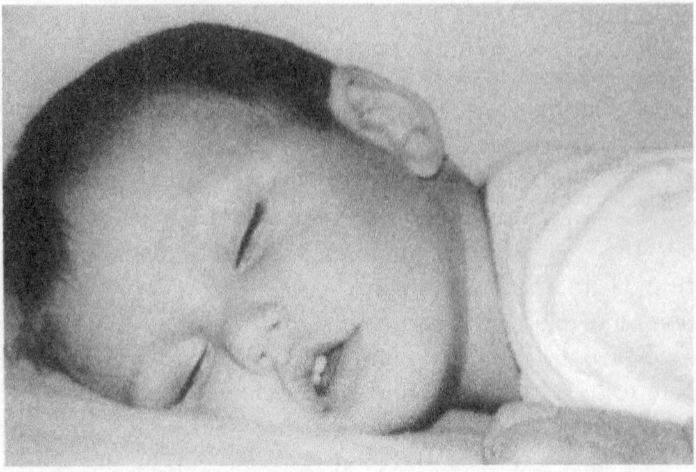

Gavin, dez meses

O relógio biológico do bebê começa a amadurecer por volta de seis a nove semanas de vida e não funciona regularmente até os quatro ou cinco meses. À medida que o ciclo biológico amadurece, o bebê atinge um ponto onde passa a maior parte do dia acordado e a maior parte da noite dormindo. Por volta de nove a dez meses, os períodos de sono do bebê consolidam-se de tal forma que ele acorda e dorme no mesmo horário todos os dias, e os períodos de sono são mais longos.

Visto que o relógio biológico é o regulador primário dos padrões diários de dormir e despertar, é fácil entender por que o bebê não dorme a noite toda — e por que esse padrão causa tantos problemas aos pais novatos!

Os bebês passam pelos mesmos ciclos de sono que os adultos, mas os deles são mais curtos e mais numerosos. Além disso, passam muito mais tempo no sono leve do que os adultos, e têm muito mais estágios intermediários de breve despertar. Há duas razões para o bebê dormir assim.

A primeira está ligada ao desenvolvimento. O padrão de sono do bebê facilita o desenvolvimento cerebral e físico. Os bebês crescem em ritmo astronômico durante os dois primeiros anos de vida e seus padrões de sono refletem necessidades biológicas que diferem amplamente daquelas sentidas pelos adultos.

A segunda razão é a sobrevivência. Eles passam a maior parte do tempo no estágio de sono leve. Isso provavelmente ocorre para que possam despertar facilmente em situações ameaçadoras ou desconfortáveis: fome, fralda molhada, desconforto ou dor. Na verdade, o famoso pediatra Dr. William Sears, em *The Baby Book* (Little, Brown and Company, 1993), diz: "Incentivar o bebê a dormir profundamente logo no início pode não ser muito interessante para sua sobrevivência ou desenvolvimento.".

Todos os estágios do sono são importantes para o crescimento e desenvolvimento infantil. À medida que o bebê amadurece, o mesmo ocorre com o ciclo de sono; atingir a maturidade do sono é um *processo biológico.*

O Ciclo de Sono do Bebê

Entender que o sono do bebê, natural e necessariamente, segue determinado ciclo é fundamental para compreender seus problemas para adormecer e permanecer dormindo. Seu ciclo de sono noturno usual é mais ou menos assim:

Sonolento; adormece
Sono leve
Sono profundo durante cerca de uma hora
Breve despertar
Sono profundo por cerca de uma ou duas horas
Sono leve
Breve despertar

Movimentos oculares rápidos (MOR[1]); período relacionado aos sonhos
Breve despertar
Sono leve
Breve despertar
Sono REM (período relacionado aos sonhos)
Breve despertar
Quase de manhã: outro período de sono profundo
Breve despertar
Sono REM (período relacionado aos sonhos)
Breve despertar
Sono leve
Despertar para a rotina diurna

O Provável Culpado de Seus Problemas com o Sono? Aquele Breve Despertar!

Agora você sabe que o breve despertar (despertar noturno) faz parte do sono humano normal, qualquer que seja a idade. Todos os bebês o vivenciam. A diferença com o bebê que requer cuidados noturnos a cada uma ou duas horas é que ele envolve os pais em todos os períodos de breve despertar. Essa conclusão foi o momento de "Eureca!" em minha própria pesquisa — e, agora que compreendo os ciclos de sono e sua fisiologia, parece-me extremamente óbvio.

De maneira geral, quando o bebê acorda freqüentemente à noite e começa a chorar, ele não está faminto, sedento, molhado ou sentindo-se solitário. Está apenas cansado, talvez tão desesperado para dormir quanto os pais, mas, ao contrário deles, não sabe como fazê-lo!

Imagine isso. *Você* adormece em sua cama confortável, macia e aquecida com o travesseiro predileto ou cobertor macio. Quando o primeiro despertar noturno ocorre, você muda de posição, puxa as cobertas e depois adormece novamente sem se lembrar do que aconteceu.

E se você acordasse e estivesse dormindo no chão da cozinha sem cobertores ou travesseiro?

Seria capaz de virar de lado e voltar a dormir? Eu, não! Você provavelmente acorda assustado, sem saber como chegou ali, entra em pânico, volta à cama, procura sentir-se confortável e, por fim, adormece — mas não profundamente porque teme voltar ao chão da cozinha. É assim para o bebê que é amamentado, embalado ou recebe algum outro cuidado para

1. Também conhecido como sono REM, em inglês, Rapid Eyes Movements.

dormir. Ele adormece embalado, mamando, com a chupeta na boca etc. e acorda imaginando: "O que aconteceu? Onde estou? Onde estão mamãe e papai? Quero a mesma situação de quando adormeci! Buáaaa!".

O bebê faz uma associação do sono, onde relaciona certas coisas ao fato de adormecer e acredita *necessitar* delas sempre. Meu bebê, Cole, passou a maior parte dos primeiros meses em meus braços ou colo, com a cabecinha acompanhando o barulho do teclado do computador. Desde o seu nascimento, ele dormiu ao meu lado, mamando até dormir durante o dia e à noite. Quando percebi, já estava com doze meses, firme e totalmente preso à associação entre amamentar e dormir.

Quase todos os livros sobre bebês e sono explicam essa filosofia de associação de sono. Quando a associação é descrita, não há apresentação de soluções suaves. Recomenda-se o processo de chorar até dormir com a intenção de "rompê-la". Em minha opinião — com a qual você provavelmente concorda, pois optou por ler este livro —, é uma forma cruel e insensível de ensinar ao bebê uma nova associação, sobretudo quando ele aprendeu a relacionar o sono a um ritual de amor, como ser amamentado ou embalado nos braços dos pais enquanto saboreia o leite da mamadeira. (E qual é a nova associação? "Chorar sozinho em meu berço no escuro é como adormeço?" Uma alternativa nada agradável.)

O Capítulo 4 explica as inúmeras alternativas para o choro, maneiras de ajudar o bebê, lenta e carinhosamente, a criar novas associações para adormecer. (Para obter os melhores resultados com este livro, siga todos os passos em ordem. Conhecer esses fatos básicos é uma etapa importante. Não se apresse.)

O que É um Problema de Sono?

Durante o primeiro ano de vida, o bebê acorda freqüentemente à noite. Como acabamos de ensinar, isso não é um problema. É um fato biológico. O *problema* está em nossas percepções de como o bebê deve dormir e em nossas próprias necessidades de uma noite de sono ininterrupto. Nós, pais, queremos e precisamos de longos períodos de sono para funcionarmos bem em nossa vida ativa. A idéia então é mudar o comportamento do bebê devagar, com cuidado e respeito, para atender melhor às nossas necessidades.

Quantas Horas os Bebês Precisam Dormir?

A Tabela 2.1, na página 20, é apenas um exemplo; todos os bebês são diferentes, e alguns realmente precisam de menos (ou mais) sono do que mostramos aqui, mas a grande maioria tem necessidades semelhantes de sono. Se seu bebê não *se aproxima* das horas de sono nessa tabela, talvez ele esteja cronicamente supercansado — e isso afeta a qualidade e duração tanto dos cochilos diurnos quanto do sono noturno. Talvez o bebê não *pareça* cansado porque bebês excessivamente cansados (e crianças maiores) nem sempre *demonstram* o cansaço — ao menos não da maneira que esperamos. Por outro lado, eles podem mostrar-se emocionalmente dependentes, hiperativos, teimosos ou inquietos. Também podem resistir ao sono, sem entender que dormir é do que realmente precisam.

Depoimento de Mãe

"Melissa é exatamente assim. Quando está muito cansada, fica inquieta, emocionalmente dependente, e luta contra o sono como se fosse o inimigo número um! Porém, se não tirar um cochilo, acaba dormindo menos e acordando mais vezes à noite."

Becky, mãe de Melissa, treze meses

Este guia pode ser muito útil para analisar os hábitos de sono do bebê.

Tabela 2.1 Horas médias de sono diurno e noturno para bebês

Idade	Número de cochilos	Duração total de horas de cochilos	Horas de sono noturno*	Total de sono noturno e diurno
Recém-nascido**				
1 mês	3	6–7	8½–10	15–16
3 meses	3	5–6	10–11	15
6 meses	2	3–4	10–11	14–15
9 meses	2	2½–4	11–12	14
12 meses	1–2	2–3	11½–12	13–14
2 anos	1	1–2	11–12	13
3 anos	1	1–1½	11	12
4 anos	0	0	11½	11½
5 anos	0	0	11	11

* Esses valores são médias e não representam períodos irregulares de sono.

** Recém-nascidos dormem 16-18 horas por dia, distribuídas regularmente em seis a sete períodos breves de sono.

E a Alimentação Noturna?

Todos já ouvimos falar sobre bebês de três meses que dormem dez a doze horas ininterruptas toda noite, sem acordar para mamar. Por que dormem tão profundamente é um mistério. Mas, quando ouvimos sobre esses bebês surpreendentes, supomos que *todos* podem e devem ser assim e ficamos desencorajados quando o nosso, de cinco, oito ou doze meses *ainda* acorda duas vezes à noite para mamar.

Para minha surpresa, especialistas em sono — até mesmo os defensores mais rigorosos do método do choro — concordam que, até os doze meses, *algumas* crianças de fato *sentem* fome após dormir durante cerca de quatro horas. Eles recomendam que, se a criança acordar faminta, devemos reagir imediatamente, alimentando-a.

Depoimento de Mãe

"Às vezes, quando Carrson acordava à noite, eu ouvia sua barriguinha roncar."

Pia, mãe de Carrson, oito meses

Os especialistas também concordam que, para crescer e desabrochar, o bebê não pode apenas querer, mas pode também *precisar* alimentar-se uma ou duas vezes à noite até os nove meses de idade. O Dr. Sears diz que mesmo a criança com dezoito meses pode ter necessidade de comer antes de se deitar para saciar a fome até a manhã seguinte. Obviamente, é difícil saber se o bebê está faminto ou apenas querendo mamar no peito ou na mamadeira em busca de conforto. Ao seguir as etapas deste livro, você verá que seu bebê começará a acordar menos vezes, apenas em busca de conforto e companhia e ficará mais claro quando ele acordar porque tem fome.

Depoimento de Mãe

"Quando Emily passou a entender minhas perguntas, eu lhe perguntava 'Está com fome?' Se ela dissesse que sim, eu a levava à cozinha, no andar inferior, para comer alguma coisa. Isso durou pouco, porque ela aprendeu que preferia ficar na cama."

Christine, mãe de Emily, dezoito meses

À medida que o organismo infantil amadurece, o bebê consegue passar períodos mais longos à noite sem comer. É um processo biológico. Até então, as pesquisas mostram que alimentá-lo com comida sólida à noite não o ajuda a dormir por mais tempo — embora algumas mães jurem o contrário. Se o médico lhe der permissão, experimente. Contudo, não se apresse. Bebês que começam a ingerir alimentos sólidos muito cedo costumam desenvolver mais alergias alimentares.

Portanto, faz sentido que, se o bebê dormiu cerca de quatro horas, despertou e parece faminto, deve ser alimentado. (Isso é sobretudo importante se tiver menos de quatro meses.) Talvez depois ele durma mais quatro horas ao invés de despertar continuamente porque tem fome! Além disso, alguns passam por estirões de crescimento quando comem mais durante o dia e também podem comer mais à noite.

Quais São as Expectativas Realistas?

A *maioria* dos bebês acorda duas ou três vezes durante a noite até os seis meses, e uma ou duas até um ano de idade; alguns acordam uma vez apenas, entre um e dois anos de idade. Considera-se que o bebê dorme a noite toda quando dorme cinco horas consecutivas, geralmente de meia-noite às cinco da manhã. Embora essa talvez não seja a *sua* definição de dormir a noite toda, é o critério lógico pelo qual medimos o sono do bebê. São cinco horas — *não* as oito, dez ou doze que almejamos! A dificuldade é que, se o pusermos para dormir às 19 horas, provavelmente aproveitaremos para colocar em dia nossas tarefas diárias. Quando formos deitar, o bebê já dormiu quatro ou cinco horas e talvez esteja precisando de nossa atenção.

A boa notícia é que, se ele estiver biologicamente pronto, podemos encorajar o progresso em direção àquele recorde de cinco horas; quando ele o atingir, devemos tomar medidas para aumentar o período de sono. Este livro lhe mostrará como fazê-lo.

Qual É a Maneira *Certa* de Ensinar o Bebê a Dormir?

William C. Dement, M.D., Ph.D., considerado a maior autoridade mundial em sono, falta de dormir e distúrbios do sono, fundador do primeiro centro de distúrbios do sono do mundo, na Stanford University, explica em *The Promise of Sleep* (Dell Trade Paperback, 2000):

Nenhum experimento científico foi realizado sobre qual é a melhor maneira de treinar o bebê para dormir, mas posso fazer algumas deduções. Duvido que possamos impor um padrão regular de dormir e despertar aos recém-nascidos ou que alguém deveria tentar fazê-lo. Aparentemente, seu relógio biológico precisa amadurecer antes que possam acompanhar a hora do dia. Mas as mesmas dicas que funcionam para nós devem funcionar para o relógio infantil à medida que amadurece.

Ao entendermos quantas horas nosso filho precisa dormir, a estratégia mais importante para melhorar o sono dele é estabelecer a rotina diária e segui-la. Entre os cinco meses e cinco anos de idade, as indicações sociais impostas pelos pais tornam-se o fator principal nos padrões de sono dos filhos.

Segundo o Dr. Dement, definir a rotina e desenvolver indicações saudáveis para o sono e associações noturnas permitirá ao bebê adormecer sem problemas. *Soluções para Noites Sem Choro* ajudará você a criar essa rotina personalizada para seu bebê e sua família.

Agora que apresentamos alguns fatos básicos e importantes sobre o sono, usaremos esses conhecimentos como base para desenvolvermos o plano de sono. A primeira etapa, como esquematizado no próximo capítulo, será criar planilhas de sono que nos darão uma imagem nítida de como o bebê dorme atualmente. Uma vez identificados os problemas que o impedem de dormir, passaremos às soluções para ajudá-lo — com tranqüilidade e alegria — sem a atenção noturna constante da mãe. E *sem* "chorar até dormir".

3

Crie Suas Planilhas de Sono

É aqui que começamos a trabalhar! A primeira etapa para melhorar o sono é obter uma visão precisa do padrão de sono vigente do bebê. Você terá de escolher um dia e uma noite para anotar tudo o que está realmente acontecendo. Há formulários para você preencher no final deste capítulo.

Esta é uma etapa importantíssima e que não devemos ignorar na ânsia de começar logo com as soluções para o sono. Assim que determinarmos exatamente como o bebê está dormindo agora, poderemos decidir que idéias melhor se aplicam a nossa situação, acompanhar nosso sucesso e fazer ajustes segundo as informações obtidas de nossas planilhas.

É muito simples.

Vamos Começar!

Comece escolhendo um dia para elaborar as planilhas de sono. A primeira etapa será anotar todas as informações sobre os cochilos do bebê na planilha de sono diurno. Saber exatamente quanto tempo o bebê leva para adormecer, onde e quando ele adormece, quando e quanto tempo ele cochila, é muito importante. Visto que os cochilos têm grande impacto sobre o sono noturno, esses dados serão úteis para determinarmos as mudanças necessárias à rotina de sono do bebê. Aqui está a minha planilha de sono diurno para Cole.

Planilha de Cochilos de Cole

12 meses de idade

Hora que o bebê adormeceu	Como o bebê adormeceu	Onde o bebê adormeceu	Onde o bebê dormiu	Por quanto tempo
1:20	Mamou durante 40 minutos	Na cama comigo	Na cama sozinho	48 minutos

Você encontrará o modelo na página 30 para elaborar sua própria planilha.

No mesmo dia em que você preencher a planilha de cochilos, faça também a planilha da rotina noturna antes de dormir. Essas informações vão ajudá-la a ver se suas ações à noite são úteis para fazer o bebê dormir ou se estão atrapalhando para acalmá-lo e deixá-lo ter uma boa noite de sono. Começando uma ou duas horas antes de dormir, anote tudo que você faz na planilha da página 31.

A cada etapa, você anotará a hora, que atividades o bebê faz e os níveis de três itens:

1. **Atividade:** intensa, moderada ou calma
2. **Barulho:** intenso, moderado ou silêncio
3. **Iluminação:** intensa, penumbra ou escuridão

A planilha ajudará você a ter uma nova visão da rotina noturna (ou falta dela!). Na página seguinte está minha primeira planilha de rotina noturna para Cole. Você pode achar, como eu, que suas noites não são exatamente o que poderíamos chamar de uma rotina calma, silenciosa e reconfortante para o bebê! Posteriormente, neste livro, trabalharemos juntos para criar uma rotina noturna tranqüila para o bebê, mas, por enquanto, apenas observe o que está acontecendo em sua casa.

Veja na página seguinte a minha planilha:

Planilha da Rotina Noturna de Cole

12 meses de idade

Hora	O que fizemos	Nível da atividade	Nível de barulho	Nível de iluminação
18:40	Fomos às compras e chegamos em casa; descarregar o carro	Intenso	Intenso	Intenso
19:00	Vestir pijama; amamentar	Calmo	Silêncio	Penumbra
19:45	Brincar no quarto de Angela; ouvir o novo CD; arrumar sua coleção de esmaltes	Moderado	Intenso	Intenso
20:00	Brincar de avião e fazer cócegas com o papai	Extremamente intenso!	Muito intenso	Intenso
20:30	Observar o jogo de David e Vanessa: *Ninja Man and the FBI in the Rooftop Battle*	Intenso	Extremamente intenso	Intenso
20:45	Deitar na cama e amamentar	Calmo	Silêncio	Escuro
21:00	Levantar novamente para ler com David e Vanessa	Calmo	Moderado	Penumbra
21:20	De volta à cama, amamentar até dormir	Calmo	Silêncio	Escuro
21:40	Dormir			

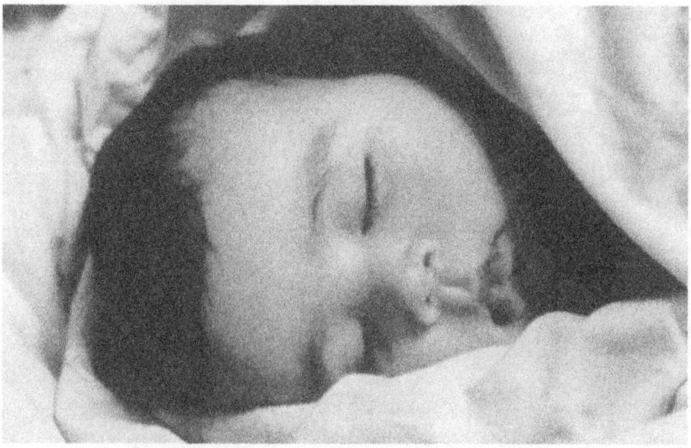

Anjali, nove meses

Após anotar sua rotina noturna, registre o número de vezes que o bebê acordou durante a noite. A maneira mais simples é deixar papel e lápis ao lado da cama para pegá-los facilmente quando acordar durante a noite. Certifique-se de que haja também um relógio. Anote a hora toda vez que o bebê acordar. Observe como ele acordou (resmungo, choro, movimento). Anote também o que você fez — por exemplo, anote se o trocou, amamentou, levantou-se, se estão dormindo na mesma cama, se lhe deu a chupeta ou mamadeira. Anote também quanto tempo ele ficou acordado ou quando adormeceu novamente. Não se preocupe com a caligrafia ou detalhes.

Pela manhã, transfira suas anotações imediatamente para a planilha do despertar noturno, na página 32, enquanto os acontecimentos ainda estão recentes em sua memória.

Aqui está minha primeira planilha:

Planilha do Despertar Noturno de Cole

12 meses de idade

Hora	Como o bebê me acordou	Quanto tempo acordado; o que fizemos	Hora que o bebê voltou a dormir	Como o bebê voltou a dormir	Quanto tempo ele dormiu*
21:40	Dormiu mamando				
23:00	Resmungou e deu uma fungadela	10 minutos; amamentar	23:10	Amamentação	21:40-23:00 1 hora e meia
0:46	Choramingou	5 minutos; amamentar	0:51	Amamentação	23:10-0:46 1 hora e meia
1:55	Resmungou e deu uma fungadela	10 minutos; amamentar	2:05	Amamentação	0:51-1:55 1 hora
3:38	Choramingou (fralda molhada)	25 minutos; trocar fralda; amamentar	4:03	Amamentação	2:05-3:38 1 hora e meia
4:50	Resmungou e deu uma fungadela	10 minutos; amamentar	5:00	Amamentação	4:03-4:50 45 minutos

Hora	Como o bebê me acordou	Quanto tempo acordado; o que fizemos	Hora que o bebê voltou a dormir	Como o bebê voltou a dormir	Quanto tempo ele dormiu*
5:27	Movimento	15 minutos; amamentar	5:42	Amamentação	5:00-5:27 meia hora
6:31	Movimento	15 minutos; amamentar	6:46	Amamentação	5:42-6:31 45 minutos
7:02	Movimento, fez barulho	20 minutos; amamentar	7:22	Amamentação	6:46-7:02 15 minutos
07:48	Movimento, fez barulho	Levantar para enfrentar a rotina diária			7:22-7:48 meia hora

* Resolvi arredondar meus horários para o quarto de hora. Se desejar, pode usar horas exatas, como 1 hora e 27 minutos. A diferença é mínima. Portanto, escolha a maneira que melhor lhe convier.

Na parte inferior da planilha há espaço para anotar um resumo das informações nela contidas. Esse resumo a ajudará a ver rapidamente como seus novos esforços influenciam o sono do bebê à medida que experimenta as idéias apresentadas neste livro. Meu resumo ficou assim:

Hora em que adormeceu: 21:40
Hora em que acordou: 7:48
Número total de vezes que despertou durante a noite: 8
Período de sono mais longo: 1 hora e meia
Total de horas de sono: 8 horas e quinze minutos

Depois de preencher as três planilhas, responda às questões sobre o sono que vêm a seguir. Se o livro não lhe pertence, copie as informações em outro lugar.

Ao terminar esse passo básico, passe para o Capítulo 4.

Idéias maravilhosas e sono tranqüilo a aguardam. Prometo!

Planilha de Cochilos

Nome do bebê: ____________________

Idade: ____________________

Data: ____________________

Hora em que o bebê adormeceu	Como o bebê adormeceu	Onde o bebê adormeceu	Onde o bebê dormiu	Por quanto tempo?

1. Reveja a Tabela 2.1, na página 20:
   Quantas sonecas o bebê **deveria** tirar? ____________
   Quantas sonecas o bebê tira **agora**? ____________
   Quantas horas o bebê **deveria** dormir durante o dia? ____________
   Quantas horas o bebê dorme durante o dia **agora**? ____________
2. Você tem uma rotina formal para os cochilos diurnos? ____________
3. A hora/duração das sonecas do bebê são constantes todos os dias? ____________

Planilha da Rotina Noturna (antes de dormir)

Nome do bebê:____________________________

Idade:____________________________

Data:____________________________

Legenda:
Atividade: intensa, moderada ou calma
Barulho: intenso, moderado ou silêncio
Iluminação: intensa, penumbra ou escuridão

Hora	O que fizemos	Nível de atividade	Nível de barulho	Nível de iluminação

1. Você segue uma rotina noturna formal, estável?____________
2. A hora antes de ir para cama é tranqüila, silenciosa e com pouca iluminação?____________
3. Sua rotina noturna ajuda você e o bebê a relaxarem e ficarem sonolentos? ____________
4. Alguma outra observação sobre sua rotina noturna atual?____________

Planilha do Despertar Noturno

Nome do bebê:____

Idade:____

Data:____

Hora	Como o bebê me acordou	Quanto tempo acordado; o que fizemos	Quando o bebê voltou a dormir	Como o bebê voltou a dormir	Quanto tempo ele dormiu

Hora em que adormeceu:______________________________
Hora em que acordou:________________________________
Número total de vezes que despertou durante a noite:__________
Período de sono mais longo:___________________________
Total de horas de sono:_______________________________

Perguntas sobre o Sono

1. Reveja a Tabela 2.1, na página 20.
   Quantas horas o bebê **deveria** dormir à noite?
   Quantas horas o bebê está dormindo **agora**?
   Quantas horas diurnas e noturnas, no total, o bebê **deveria** dormir?
   Quantas horas diurnas e noturnas, no total, o bebê está dormindo **agora**?
   Qual a relação entre as horas de sono sugeridas e as horas de sono reais de seu bebê?
      Dorme____________horas (dorme pouco)
      Dorme____________horas (dorme muito)
2. A hora de dormir do bebê é constante (com variação de meia hora) toda noite?____
3. Você "ajuda" o bebê a voltar a dormir toda vez que, ou quase toda vez ele acorda?____
   Como?____
4. O que você aprendeu sobre o sono de seu bebê ao elaborar esta planilha?____
   ____
   ____
   ____
   ____

4

Analise e Escolha Soluções para o Sono

Quando a verificação de segurança estiver completa, os fatos básicos sobre o sono compreendidos e as planilhas iniciais preenchidas, estaremos prontos para prosseguir. O leitor criará um plano de sono personalizado para o seu bebê baseando-se nas sugestões apresentadas neste capítulo. Eu aconselho que use todas que façam sentido para você e seu bebê. Siga-as o tempo suficiente para causarem impacto — pelo menos duas ou três semanas. Uma ou duas noites não bastam para julgar o valor de determinada sugestão. Este *não* é um plano rápido, mas *é* um plano que funciona. *É* um plano que lhe permitirá ajudar o bebê a dormir melhor. É preciso apenas escolher as soluções, organizar seu plano, comprometer-se com ele e segui-lo.

As sugestões deste capítulo estão divididas em duas partes. A primeira é sobretudo para recém-nascidos e a segunda é para bebês com mais de quatro meses de vida. Todas são claramente descritas em ambas as partes. Na segunda parte, elas são codificadas para cinco tipos de bebês, facilitando, assim, a escolha.

- Bebês que mamam na mãe
- Bebês que mamam na mamadeira
- Bebês que dormem no berço
- Bebês que dormem na cama com os pais
- Bebês que usam chupeta

Muitas das sugestões são válidas para todos.

Leia todas e anote aquelas que pareçam ser mais úteis para o seu bebê. Depois, basta transferir as informações para o plano pessoal de sono, que começa na página 109. Isso consolidará todas as suas idéias, reunindo-as em um único lugar e facilitando a referência. De posse das soluções, você poderá então começar a seguir o plano pessoal. (Comece a usar uma ou duas sugestões se quiser. Quanto mais cedo começar, melhor!)

Parte Um: Soluções para Recém-nascidos — do Nascimento aos Quatro Meses

(Se seu bebê tem mais do que quatro meses, você pode ir para a página 55.)
Parabéns pelo nascimento do bebê. É uma época maravilhosa na vida. Seja o primeiro filho ou o quinto, você descobrirá que é um momento de recuperação, ajuste, e, às vezes, de confusão e frustração, mas, sobretudo, de se apaixonar.

Recém-nascidos não têm problemas para dormir, mas os pais, sim. Bebês dormem quando estão cansados e acordam quando estão prontos. Se o horário deles gera conflito com o seu, o problema não é dos pequeninos, que nem mesmo sabem o que está acontecendo.

Depoimento de Mãe

"Os efeitos de suas sugestões são menos dramáticos se utilizados desde o início — mas menos dramático é positivo quando se trata do sono do bebê!"

Judith, mãe de Harry, três meses

Você tem sorte de ler este livro *agora*. Aquilo que fazemos durante os primeiros meses define o padrão para um ou dois anos ou mais. Podemos tomar medidas nos primeiros meses que ajudarão o bebê a dormir melhor. É possível fazer isso de forma tranqüila e carinhosa, sem envolver choro, estresse e regras rígidas. Aplicar algumas sugestões gerais nos primeiros meses pode preparar o terreno para um sono melhor nos anos seguintes.

Eu aconselho você a ler também a seção sobre bebês mais velhos porque aprenderá muito. Contudo, não se esqueça de que os bebês com menos de quatro meses têm necessidades distintas. Esta parte sobre recém-nascidos ajudará os pais a entenderem os padrões de desenvolvimento do sono do bebê como são *agora*.

Quando o bebê completar quatro meses de idade, pode-se começar a utilizar as sugestões para bebês maiores. Porém, se você ler, entender e aplicar agora as próximas dicas para recém-nascidos, talvez não precise deste livro quando seu bebê chegar aos quatro meses de vida. Não é maravilhoso?

Depoimento de Mãe

"Segundo a experiência de amigas, eu esperava um ano de noites passadas em claro. Estou tão feliz porque meu bebê já dorme seis horas seguidas! Minhas amigas dizem que é um milagre!"

Yelena, mãe de Samantha, sete meses

Ler, Aprender e Tomar Cuidado com Maus Conselhos

Sem dúvida, *todo mundo* tem uma opinião sobre como deveríamos criar nosso bebê. Quando me lembro do nascimento de meu primeiro filho, surpreendo-me com o número de pessoas que se sentiam estimuladas a dar conselhos. Um dia, quando Angela tinha apenas alguns dias de vida, um amigo — solteiro, sem filhos — veio nos visitar e conhecer o bebê, que estava dormindo. Então, ficamos batendo papo. Angela acordou com um grito e apressei-me em pegá-la. Ele riu e disse: "Ah, você não precisa *correr*. Quando os bebês choram, eles nem mesmo sabem de onde vem o som!". (Não faço a mínima idéia onde ele aprendeu aquela bobagem.)

O perigo para os pais novatos é que os maus conselhos, mesmo bem-intencionados, podem causar impacto negativo sobre sua capacidade de criar os filhos e, conseqüentemente, sobre o desenvolvimento do bebê, se não tiverem consciência dos fatos. Quanto mais conhecimentos tivermos, menor a probabilidade de duvidarmos da capacidade de sermos pais.

Minha missão, e a de outros orientadores educacionais capacitados, é apresentar os fatos como eles são, para que você possa *escolher* seu método a partir da força do conhecimento e não da fraqueza da ignorância. Ou seja, se estivermos bem-informados, vamos proteger a nós e a nossa família dos ataques de "deveria" e "seria", que não se encaixam em nossa realidade e que talvez não possuam provas ou fatos que os comprovem.

Foi esse plano de jogo que aquela conversa interessante com meu amigo solteiro, sem filhos, incentivou a desenvolver. Percebi que, se não tivesse conhecimentos sólidos e confiança em mim mesma nessa questão, a opinião dele teria me deixado confusa, preocupada e em dúvida quanto à minha própria capacidade de ser mãe. No mínimo, ele conseguiu deixar-me perplexa e muda.

Portanto, a melhor defesa é o conhecimento. Saber é poder, segundo o ditado popular. O saber é a luz que ilumina os corredores escuros (ou berços, neste caso) da ignorância. Quanto mais sabemos, mais facilmente desenvolvemos nossas próprias filosofias sobre a educação para os filhos. Quando conhecemos os fatos e temos um plano de educação dos filhos, somos capazes de responder com confiança àqueles que, embora com a melhor das intenções, oferecem orientações contrárias ou incorretas.

Portanto, o primeiro passo é obter informações! Saber *o que* e *por que* estamos fazendo. Depois, quando os especialistas amadores oferecerem conselhos, podemos sorrir e dizer: "Ah! Verdade?" — e seguir nosso caminho, com confiança.

O mercado oferece inúmeros livros excelentes sobre bebês. Sugiro que leia um ou dois para adquirir conhecimentos sólidos. Os seus livros certamente apresentarão orelhas, serão bem manuseados e mostrarão trechos sublinhados porque serão consultados inúmeras vezes nos primeiros anos de vida do bebê. Saiba escolher os livros; peça sugestões aos amigos que têm opiniões semelhantes as suas sobre a criação dos filhos e procure autores cujas filosofias combinem com seu próprio modo de pensar. Durante a leitura, tenha em mente que nenhum autor pensará exatamente igual a você. Por isso, é preciso aprender a extrair de cada um as idéias que melhor se adaptam a sua realidade. Aqui estão alguns dos meus prediletos:

The Baby Book, William Sears, M.D. e Martha Sears, R.N. (Little, Brown and Company, 1993)

Attachment Parenting, Kate Allison Granju and Betsy Kennedy (Pocket Books, 1999)

Your Baby and Child: From Birth to Age Five, Penelope Leach (Knopf, 1997)

What to Expect the First Year, Arlene Eisenberg, et al. (Workman Publishing, 1996)

Em meu livro, eu ajudarei você a aprender sobre bebês e sono. O melhor lugar para iniciar, naturalmente, é o começo.

A Biologia do Sono do Recém-nascido

Durante os primeiros meses de vida do bebê, ele simplesmente dorme quando está cansado. Seu padrão despertar — adormecer gira, sobretudo, em torno do estômago. Ele acorda quando tem fome e dorme quando está satisfeito. Pode-se fazer muito pouco para forçá-lo a dormir quando ele não quer e vice-versa.

Um ponto importantíssimo para entendermos sobre recém-nascidos é que seu estômago é minúsculo. Eles crescem rapidamente, a dieta é líquida e a digestão é rápida. O leite em pó é de rápida digestão e o materno, ainda mais. Embora fosse agradável colocar o pequenino na cama em determinada hora e não ouvir um pio até a manhã seguinte, mesmo os mais inocentes sabem que essa meta não é a realidade de um recém-nascido. Eles precisam ser alimentados a cada duas ou quatro horas — e às vezes mais. Durante os primeiros meses, o bebê terá tremendos estirões de crescimento que afetarão não apenas a alimentação diurna, mas a noturna também, às vezes reduzindo o intervalo de duas a quatro horas para uma a duas horas.

Depoimento de Mãe

"Lembro-me de quando Rachel era recém-nascida. Ela mamava a maior parte do dia durante uma ou duas semanas seguidas. Se eu não soubesse que isso, às vezes, acontece e que é necessário para o crescimento exagerado que os bebês às vezes vivenciam, talvez eu tivesse tentado impor-lhe um horário. Porém, simplesmente aceitei meu papel na vida naquele: uma mamadeira humana."

Vanessa, mãe de Rachel, dois anos de idade

Os bebês são imprevisíveis e vários estabelecem regras próprias. Alguns recém-nascidos dormem quatro ou cinco horas seguidas, deixando os pais preocupados se devem acordá-los para alimentá-los. A resposta é um inequívoco "talvez." Se o bebê segue esse padrão, é preciso conversar com o médico e descobrir se não há problema passar tanto tempo entre as mamadas. Isso dependerá do tamanho e saúde do bebê, além de outros fatores.

Dormir a Noite Toda

Você provavelmente já leu ou ouviu dizer que os bebês começam a "dormir a noite toda" por volta de dois a quatro meses de vida. O que precisamos entender é que, para o recém-nascido, o período de cinco horas (que mencionei anteriormente) *é* a noite toda. Muitos, mas não todos, nessa idade, podem dormir ininterruptamente da meia-noite às cinco da manhã. Bem diferente do significado que você atribuiria a dormir a noite toda!

Aqui faremos uma pausa para que o impacto dessa revelação seja absorvido por aqueles que têm um bebê que dorme a noite toda e não sabiam.

Se seu bebê já dorme a noite toda, desfrute o privilégio embriagante de contar papo na próxima reunião do grupo de educação infantil. Mas, se está pensando em abandonar a leitura deste livro, vá devagar. Bebês são imprevisíveis e a situação "só acaba quando termina".

Depoimento de Mãe

"Aos dois meses de vida, nossa pequena Emily dormia sete horas consecutivas toda noite. Mas, ao invés de aumentar esse período de sono, ela fez o caminho inverso, até começar a despertar a cada três ou quatro horas. Felizmente, as suas soluções nos ajudaram a resolver o problema!"

Christine, mãe de Emily, dezoito meses

Além disso, embora a definição científica seja cinco horas, a maioria dos pais jamais consideraria esse período como sendo a noite toda. Também, alguns dos bebês que dormem a noite toda subitamente começam a despertar com mais freqüência e, na maioria das vezes, decorre um ou dois anos até que o pequenino estabeleça um padrão de sono regular e duradouro. Este livro é repleto de sugestões que ajudarão você a trabalhar *com* seu bebê, para incentivar a definição desse padrão mais cedo ou mais tarde.

Onde o Bebê Deseja Dormir

Onde seu bebê se sente mais à vontade e seguro? *Em seus braços.* Onde o bebê se sente mais tranqüilo? *Em seus braços.* Se pudesse falar, onde seu recém-nascido diria que *deseja* dormir? *Em seus braços,* é claro!

Não há nada — absolutamente nada — tão maravilhoso e encantador do que o recém-nascido adormecer nos braços ou seio da mãe. Sei porque achava praticamente impossível separar-me de Cole adormecido. Talvez porque ao ter esse quarto bebê aos quarenta e um anos de idade, eu sabia que seria o último e que ele cresceria rápido demais. Ou talvez porque não agi assim com meu primeiro bebê, Angela, catorze anos atrás. Pensando bem, fiz o mesmo com Vanessa e David também. Portanto, talvez seja por algum outro motivo. Talvez seja o instinto "maternal" que nos invade quando temos um bebê. Talvez seja porque as mães são biologicamente programadas para desejar o bebê em seus braços. E talvez eu tenha sentido essa necessidade incontrolável porque minhas leituras e curiosidades me abriram para ela e bloquearam o excesso que a vida moderna agitada nos impõe.

Não importa a razão, posso afirmar que me tornei perita em digitar com uma mão só. Posso fazer — e fiz — qualquer coisa com o bebê adormecido em meus braços — incluindo treinar o time de *softball* de minha filha, presidir reuniões da Associação de Pais e Mestres e até mesmo ir ao banheiro. (Você achava que era a única no mundo a fazer isso?)

Mas... Perigo! Perigo! Perigo! O bebê que sempre dorme nos braços da mãe sempre o fará. Bebê esperto! O bebê que chora pelo conforto dos braços dos pais, e os pais que respondem, está agindo dentro da estrutura natural do instinto que ajuda a garantir a sobrevivência infantil desde o início dos tempos.

Essa conexão natural e exigente funcionaria muito bem em um mundo perfeito — onde a única tarefa da mãe é cuidar do bebê durante os dois primeiros anos de vida. Um mundo onde outras pessoas cuidam da casa, cozinham, ganham a vida para pagar as despesas — enquanto a mãe e o bebê passam os dias desfrutando a companhia um do outro e realizando as tarefas de nutrição e vínculo que a natureza determinou. Infelizmente, esse mundo não existe mais, se é que existiu algum dia. A vida contemporânea com suas exigências não oferece esse privilégio. As mães têm muito que fazer e precisamos encontrar o equilíbrio entre instinto e praticidade.

Uma Sugestão de Vanguarda

Portanto, por mais difícil que possa parecer, espero que você aprenda com o meu erro. Quando o bebê dormir, *coloque-o no berço.* Porém, não é necessário privar-se completamente do prazer do sono infantil. Aproveite essa delícia de vez em quando. Mas, a menos que possa gastar horas diariamente com um bebê de dois anos de idade no colo, é melhor deixá-lo acostumar-se a dormir no berço.

Para aqueles que preferem colocar o bebê para dormir na cama do casal, deixá-lo dormir sozinho, às vezes, é *importantíssimo*. Os bebês precisam dormir muito mais do que os adultos. Trabalho com muitas mães cujos bebês são tão acostumados à presença materna na cama que *elas* precisam deitar-se às 19 horas e *ficar ali* porque eles têm um radar embutido que não lhes permite deixá-los sozinhos. A mãe também tem que cochilar durante o dia, querendo ou não! A idéia é desfrutar os momentos em que o bebê dorme junto com os pais, mas ensiná-lo que *é capaz* de dormir sozinho também.

Bons Conselhos, com Leves Modificações

Depois que escrevi a seção anterior, fiz um intervalo e fui apanhar minha filha adolescente na escola. Passamos a tarde juntas — fomos à manicure e depois saímos para almoçar. Enquanto conversávamos e ríamos como amigas, pensei quanto sentiria falta dela quando, em alguns anos, ela fosse estudar fora. Quando Angela e eu voltamos para casa, sentamos com o bebê, Cole, e ele nos divertia fazendo caretas. Nesse novo nível de maturidade, ele sabe quando está sendo engraçado e, de propósito, exagera em tudo o que faz os outros rirem.

Estou aqui pensando que *cada momento* na vida de nossos filhos é precioso e insubstituível. Cada fase é muito rápida e eu desejaria ter engarrafado cada uma delas para revivê-las. Portanto, é muito fácil para mim lhe dizer para colocar o bebê para dormir no berço — uma daquelas situações em que falar é fácil. Porém, serei muito honesta com você e comigo mesma. Se eu tivesse outro filho, tenho certeza de que aconteceria com ele o mesmo que com os outros — dormiria em meus braços, com a cabecinha movendo-se ao som do teclado do computador.

Depoimento de Mãe

"Quando Zach dormia mamando em meus braços, eu percorria, com o dedo, o contorno de seu nariz, cheirava seus cabelos, brincava com seus dedinhos. Eu queria assimilar tudo sobre ele enquanto era bebê, porque era meu quarto filho e eu sabia como tudo passava tão rápido."

Vanessa, mãe de Zachary, dois anos de idade

Portanto, deixe-me alterar meu conselho. Entenda que esses hábitos bonitos, tranqüilos e de amizade são dificílimos de romper e, por isso, escolha-os com cuidado. Se puder, e quando puder, coloque o bebê no berço para que ele aprenda que pode dormir sozinho, assim como em seus braços. E quando não colocá-lo no berço, segure-o com paixão e desfrute cada barulhinho, movimento e suspiro. Acredite-me, você sentirá saudade disso. Você *sentirá.* Mesmo as noites escuras e exaustivas tomarão um ar romântico em suas lembranças e virão à tona quando o seu "bebê" dirigir o primeiro carro, formar-se, casar-se e tiver seu *próprio* filho.

Adormecer Mamando no Peito da Mãe ou na Mamadeira

É muito natural o recém-nascido adormecer mamando o peito da mãe, a mamadeira ou com a chupeta na boca. Na verdade, alguns recém-nascidos agem assim naturalmente e com tanta freqüência que as mães ficam preocupadas porque eles nunca mamam o suficiente.

Quando o bebê *sempre* adormece assim, ele aprende a associar sugar com adormecer; com o tempo, ele não consegue adormecer de outra maneira. Uma grande porcentagem de pais que têm problemas com bebês maiores que não conseguem adormecer ou dormir por muito tempo estão lutando com essa associação natural e forte entre sugar e dormir.

Portanto, se você deseja que o bebê adormeça sem sua ajuda, é essencial que o deixe mamar até ficar sonolento, mas não totalmente adormecido. Com a maior freqüência possível, retire o peito, a mamadeira ou a chupeta e deixe-o terminar de adormecer sem nada na boca. Quando o fizer, o bebê poderá resistir e choramingar. Não há problema algum em lhe devolver o peito, a mamadeira ou a chupeta e tentar novamente alguns minutos depois. Repetir. Repetir. Repetir. Se agir assim com freqüência, ele aprenderá, por fim, como adormecer sem mamar.

Releia o parágrafo anterior. Ele provavelmente contém a sugestão mais importante que posso lhe transmitir neste momento para garantir que não terá que reler este livro daqui a dezoito meses.

A próxima etapa neste plano é tentar colocar o bebê no berço quando ele estiver *sonolento* e não *dormindo.* O recém-nascido cansado, muito jovem ainda para ter hábitos fixos, quase sempre aceitará ser colocado no berço enquanto estiver acordado, onde então tentará adormecer sozinho. Ao tentar implementar essa sugestão, às vezes o bebê adormece, outras vezes não. Quando ele *não* se acomodar e ficar irritado, podemos embalá-lo ou até mesmo pegá-lo novamente e dar-lhe o peito, a mamadeira ou a chupeta e tentar novamente em alguns minutos, ou na próxima soneca.

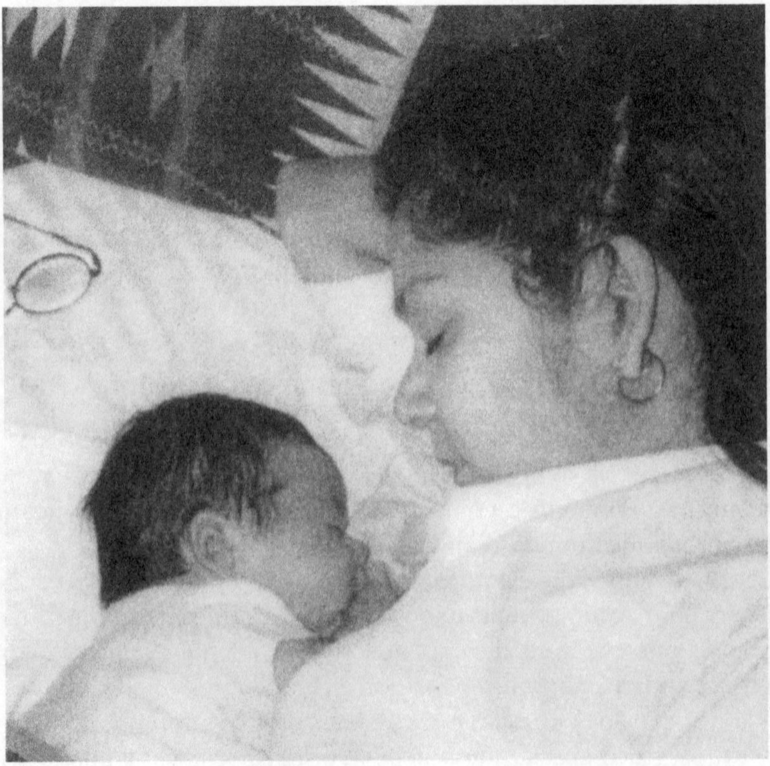

Anjali, dois meses, e Tina

Depoimento de Mãe

"Acho que uma das sugestões mais úteis foi colocá-lo no berço quando estava cansado, mas acordado — ele me surpreendeu ao aceitar que o fizesse na maioria das vezes!"

Judith, mãe de Harry, três meses de idade

Portanto, como vê, nos primeiros meses de vida podemos ajudar nosso bebê a aprender como dormir sem nossa ajuda, com carinho e aos poucos. E isso é possível sem lágrimas.

E Sugar os Dedos ou o Polegar?

Se o bebê adormece sugando os dedos, a situação é completamente diferente de usar a mamadeira, a chupeta ou o peito da mãe. Se o bebê encontra conforto ao sugar os dedos, ele está aprendendo a controlar as próprias mãos e nem sempre dependerá de alguém para ajudá-lo. As filosofias atuais divergem se é uma boa idéia deixar o bebê adquirir esse hábito, mas a maioria dos especialistas concorda que ele é inofensivo. O maior problema é que alguns bebês jamais o abandonam e, por fim, temos que interferir.

Despertar para as Mamadas Noturnas

Muitos pediatras recomendam que os pais não devem deixar o recém-nascido dormir mais de três ou quatro horas sem se alimentar, e a vasta maioria dos bebês acorda com freqüência muito maior do que essa. (Lembre-se, também, que há alguns bebês excepcionais que dormem muito mais tempo.) De qualquer maneira, o bebê *acordará* durante a noite. (Veja o Capítulo 2) O segredo é aprender quando pegá-lo para a mamada noturna e quando deixá-lo voltar a adormecer sozinho.

Esse é o momento em que precisamos focar nossos instintos e intuição. É aqui que devemos tentar aprender a ler os sinais do bebê.

Aqui está uma dica que, para minha surpresa, nunca li em nenhum livro sobre bebês, mas que é de fundamental importância. Bebês emitem vários sons quando dormem, como resmungos, choramingos e gritos, mas nem sempre indicam que estão acordados. Eu os denomino barulhos do sono e o bebê está quase ou totalmente adormecido quando ocorrem. Eles não são o tipo de choro que significa "Mamãe, preciso de você!". São apenas sons do sono. Lembro-me de quando minha primeira filha, Angela, era recém-nascida, dormindo no berço ao lado de minha cama. Seu choro acordou-me muitas vezes, mas ela já dormia em meus braços antes mesmo que eu fosse do berço à cadeira de balanço e tivesse tempo de sentar. Ela estava emitindo sons do sono. No desejo de responder a cada grito do meu bebê, eu, na verdade, o ensinei a despertar com mais freqüência!

É preciso ouvir e observar o bebê atentamente. Aprender a diferenciar entre sons do sono, da fome e do despertar. Se ele realmente estiver acordado e faminto, será preciso dar-lhe de mamar o mais rápido possível. Se respondermos imediatamente quando estiver com fome, ele provavelmente voltará a dormir logo. Mas, se deixarmos que o choro tome proporções descomunais, ele despertará e será mais difícil e demorado fazê-lo dormir de novo. Sem falar que *nós* também estaremos acordadas!

Ouça atentamente quando o bebê emitir sons noturnos:
Se ele emitir sons do sono — deixe-o dormir.
Se ele estiver mesmo querendo acordar — aja rapidamente.

Para Mães que Amamentam ou que Dormem com o Bebê

Enquanto pesquisava este livro, tornou-se óbvio para mim que muitas mães novatas passam parte da noite, ou toda ela, dormindo com o bebê. (Se você faz parte desse grupo, releia o texto sobre as práticas de segurança, começando na página 11.) Quando amamentamos ou dormimos com o bebê, nossos ciclos de sono provavelmente entrarão em sincronia. Isso significa que ambos experimentarão o despertar no meio do ciclo ao mesmo tempo. Se isso ocorre, é um belo sinal de que mãe e bebê encontraram a perfeita harmonia no sono; e facilitará o despertar noturno porque, quando o bebê acorda, a mãe não será despertada do sono profundo. É fácil para a mãe, parcialmente acordada, colocar o bebê no peito e, depois que o bebê voltar a dormir, ela fazer o mesmo.

Dr. James J. McKenna, diretor do Mother Baby Behavioral Sleep Center, da Universidade de Notre Dame, em um artigo para o site The Natural Child Project, diz:

> Meus colegas e eu observamos pares de mãe–bebê enquanto dormiam juntos e separados durante três noites consecutivas. Usando um polígrafo, registramos a freqüência cardíaca da mãe e do bebê, ondas cerebrais (EEGs), respiração, temperatura corporal e episódios de amamentação. Ao mesmo tempo, videofotografia com raios infravermelhos monitorava seu comportamento.
>
> Constatamos que os bebês que dormiam na mesma cama que a mãe respondiam muito mais aos movimentos um do outro, acordavam com maior freqüência e passavam mais tempo em estágios de sono mais leve do que quando dormiam sozinhos. Esses bebês também mamam com freqüência quase duas vezes maior, e cada mamada dura três vezes mais tempo do que quando dormem sozinhos. Mas raramente choram. Mães que rotineiramente dormem com o bebê dormem o mesmo tanto que as outras.

Durante a noite, quando a mãe e o bebê estiverem em períodos de breve despertar, ele pode simplesmente respirar ruidosamente ou mexer-se e ela automaticamente lhe dá o peito; os dois logo voltam a dormir. É uma experiência maravilhosa e tranqüila ter o recém-nascido ao nosso lado, e pode ser a melhor solução para a mãe inexperiente que anseia dormir bem.

Mas sob a superfície tranqüila dessa situação há um problema. O bebê passará a esperar a mamada cada vez que acordar. E, se você se lembra do Capítulo 2, que descreveu fatos básicos sobre o sono, o bebê acorda brevemente, de hora em hora, a noite toda. Embora possamos considerar a situação aceitável nos primeiros meses de vida, raramente a mãe ainda estará satisfeita dez ou doze meses depois.

Ruídos do Sono

O segredo é fazer o bebê que dorme com você sentir-se confortável ao seu lado sem ter que mamar a noite toda! O conceito importante para obter esse equilíbrio é descrito na seção denominada Despertar para as Mamadas Noturnas, nas páginas 45-46. Como descrevo ali, os bebês emitem inúmeros sons quando dormem. Nem todos significam "Estou acordado e quero mamar". A melhor forma de melhorar o sono a longo prazo, para a mãe que dorme com o bebê, é aprender como fingir que está dormindo enquanto ouve os sons do bebê. E esperar. Talvez ele volte a dormir sem sua ajuda. Se ele precisar mamar, você logo saberá.

Ajude o Bebê a Distinguir o Dia da Noite

O recém-nascido dorme cerca de dezesseis a dezoito horas por dia, e esse sono é distribuído uniformemente em seis a sete períodos breves. Podemos ajudá-lo a distinguir entre sono noturno e diurno podendo, assim, dormir mais tempo à noite.

Comece fazendo o bebê tirar os cochilos diurnos em um quarto iluminado, onde ele possa ouvir os barulhos diurnos, talvez no moisés ou berço localizado na área principal da casa. O ambiente para o sono noturno deverá ser escuro e silencioso, ou seja, sem conversas, cantos ou luzes no meio da noite. Se a casa fica barulhenta depois que o bebê dorme, use sons suaves para encobrir os ruídos da família. Esses sons podem ser música suave, o zumbido do aquecedor ou ventilador (com as devidas precauções de segurança) ou qualquer outro som contínuo. Pode-se até mesmo comprar um pequeno rádio-relógio com função para sons de fundo (chuva de primavera ou os murmúrios de um riacho), fitas de áudio com sons da natureza ou até mesmo sons do útero.

Podemos ainda ajudar o bebê a distinguir o sono diurno do noturno com um banho toda noite e depois o uso de pijamas para sinalizar a diferença.

Mantenha as mamadas noturnas silenciosas e tranqüilas. Não há necessidade de conversar ou cantar para o pequenino no meio da noite; deixe isso para o dia.

Mamadeira Noturna com Facilidade

Se você dá mamadeira ao bebê, certifique-se de que todos os itens necessários para a mamada noturna estejam à mão e prontos para uso. A meta é que o bebê permaneça sonolento e volte a dormir imediatamente. Se você tiver que correr à cozinha para preparar a mamadeira, enquanto ele resmunga ou chora, apenas conseguirá despertá-lo completamente, e o que poderia ser uma breve interrupção no sono transforma-se em longo período sem dormir.

Fraldas Noturnas

Se o bebê acorda a cada uma ou duas horas durante a noite, não é preciso trocar a fralda dele toda vez. Lembro-me de quando Angela era recém-nascida e eu, mãe novata, trocava sua fralda a cada uma ou duas horas quando ela acordava. Na maioria das vezes, eu trocava uma fralda seca por outra. Por fim, aprendi que eu estava mais "ligada" à questão da fralda do que ela!

Sugiro que use fralda noturna de boa qualidade e quando o bebê acordar, verifique rapidamente se ele está molhado. Troque-o somente se necessário, silenciosamente e depressa. Use uma pequena luminária e evite luzes fortes que possam simular a luminosidade diurna. Deixe tudo organizado e próximo ao berço e use sempre material aquecido para enxugá-lo.

Sinais Noturnos

Você poderá criar sinais especiais que indicam o sono noturno. Uma rotina noturna exata, estável, que começa pelo menos 30 minutos antes da hora de dormir ajuda o bebê a organizar seu padrão de sono diurno/noturno. (Leia mais sobre rotinas noturnas nas páginas 63-66.)

Não Deixe o Bebê Tirar Longas Sonecas

Tente não permitir que o recém-nascido tire longas sonecas. Se o pequenino dorme muito durante o dia, de três a cinco horas consecutivas, e depois acorda com freqüência durante a noite, ele acabará trocando o dia pela noite. (Obviamente, há bebês que dormem muito durante o dia e à noite também, mas, se o seu bebê fosse um deles, você não estaria lendo este livro, não é?)

Às vezes, é difícil manter a regra de não permitir longas sonecas. Quando a mãe sente falta de dormir, e está atrasada com suas tarefas e responsabilidade, é fácil "tirar vantagem" do sono diurno do bebê. Embora útil a curto prazo, isso pode interferir no sono noturno, dificultando a produtividade da mãe durante o dia. Isso também impede o bebê de organizar o sono, em cochilos diurnos curtos e períodos mais longos à noite.

Este é um daqueles momentos em que podemos quebrar a regra de que nunca devemos acordar o bebê. Se ele está dormindo há mais de duas ou três horas, acorde-o suavemente e incentive-o a ficar acordado algum tempo e brincar.

Alguns bebês, como minha segunda filha, Vanessa, são recém-nascidos tão dorminhocos que nem mesmo um terremoto conseguiria acordá-los! Temos uma foto de família com Vanessa, quatro meses de vida, dormindo nos braços do pai porque nada neste mundo conseguiria acordá-la para a foto. Aqui estão algumas dicas para acordar bebês dorminhocos quando for a hora:

- Tente acordar o bebê durante o estágio de sono mais leve. Observe os movimentos dos braços, pernas, rosto. Se estiverem bem relaxados, será mais difícil acordá-lo.
- Troque a fralda ou passe um pano úmido em seu rostinho.
- Deixe-o só de fralda e camisetinha (em quarto aquecido).
- Coloque-o sentado.
- Massageie as costas.
- Tire as meias, massageie os pés ou brinque com os dedos do pé.
- Mexa os braços e pernas do bebê suavemente, como se exercitando-os.
- Coloque-o na cadeirinha no meio da atividade familiar.
- Segure-o na posição vertical e cante para ele.

É possível também reduzir as sonecas excessivas colocando-o para dormir em local com iluminação natural e barulho, mantendo o sono noturno silencioso e no escuro.

Recém-nascidos dormem muito durante o dia, mas isso logo muda. Não é fácil para a mãe ajustar-se à rotina diária com o bebê ao lado, mas é importante começar a vê-lo como alguém que precisa de companhia o dia todo. Não pense que deverá deixar todas as tarefas para quando o bebê estiver dormindo. Comece já a incluí-lo nas tarefas diárias. Afinal de contas, bebês adoram observar e aprender, e a mãe é a melhor professora. O bebê gostará de se tornar parte do cotidiano da mãe, e ela, por sua vez, vai adorar a companhia.

Observe os Sinais de Cansaço

Uma maneira de incentivar o sono é familiarizar-se com os sinais de sonolência do bebê e colocá-lo no berço assim que demonstrar cansaço. O bebê não pode ir para o berço e nem entender os próprios sinais de cansaço. Porém, se ele é incentivado a ficar acordado quando o corpo pede cama, torna-se geralmente irritado. Com o tempo, esse padrão transforma-se em falta de sono, que complica ainda mais o desenvolvimento da maturidade do sono do bebê.

Depoimento de Mãe

"Descobri que estava colocando Carrson para dormir segundo o relógio e não pelo seu cansaço. Assim que mudei a dinâmica, ele passou a adormecer mais rapidamente e a dormir por mais tempo."

Pia, mãe de Carrson, dezoito meses

A maioria dos recém-nascidos consegue ficar acordada apenas durante duas horas. Assim que o bebê se sente exausto, ele torna-se superestimulado e tem mais dificuldade em adormecer e dormir por mais tempo. Procure aquele momento mágico em que o bebê está cansado, mas não exausto. Estes são alguns dos sinais que ele pode apresentar — talvez apenas um ou dois, mas você passará a conhecê-los com o tempo:

- Redução nos movimentos e nas atividades
- O bebê se acalma
- Perde interesse nas pessoas e nos brinquedos (desvia o olhar)
- Parece que os olhos estão "vidrados"
- Irritação
- Esfrega os olhos
- Bocejos

Aprenda a interpretar os sinais de sono do bebê e coloque-o no berço quando a oportunidade surgir.

Faça o Bebê Sentir-se Confortável

Os bebês são diferentes, assim como os adultos, e precisamos aprender a entendê-los no decorrer do tempo. Aqui estão algumas sugestões para deixá-los à vontade. Experimente-as e logo descubrirá quais são melhores para o pequenino:

Enfaixar

Os bebês vêm de um meio (o útero) onde há pouco espaço. Alguns sentem-se mais à vontade quando os pais criam um ambiente semelhante para o sono ao enrolá-los com segurança em um cobertor aconchegante. O pediatra — pais experientes ou um livro sobre bebês — lhe dará instruções, passo a passo, para essa prática. Se o bebê gostar, a mãe poderá enfaixá-lo apenas à noite para incentivá-lo a dormir por mais tempo. Além disso, pergunte ao médico se o *seu* bebê ficará seguro embrulhado em um cobertor. Assim que ele começar a se mexer, essa maneira de dormir *não será* mais segura porque ele poderá sufocar-se com o cobertor. Outro cuidado: não o enfaixe se o ambiente estiver quente, o que pode causar superaquecimento, um dos fatores de risco de Sids.

Berço Aconchegante

Muitos recém-nascidos sentem-se perdidos em berços grandes e alguns preferem os menores, ou até mesmo o moisés. Alguns refugiam-se no canto do berço e prendem a cabeça entre as grades — da mesma maneira como estavam no ventre da mãe, preso à pelve. Verifique se o berço é firme e não se move enquanto o bebê dorme, e que não haja perigo de o berço inclinar quando o bebê refugiar-se no canto.

Crie um Ninho

Pelo fato de passarem nove meses enrolados como se fossem uma bola, alguns recém-nascidos não se sentem à vontade deitados de costas em um colchão firme. Contudo, essa é a proteção mais importante contra Sids. Uma alternativa que parece agradar a muitos bebês e os mantêm dormindo por mais tempo é colocá-los para dormir no banco do carro, cadeirinha ou carrinho, mantendo-os em uma posição relativamente curva. Isso pode ajudar aqueles que só dormem bem quando aconchegados nos braços dos pais ou no moisés. É um método suave de ensinar ao bebê como dormir em outro lugar que não seja os braços. As regras de segurança exigem que, ao usar essa sugestão, o bebê fique à vista dos pais. Além disso, se ele dormir no banco do carro ou no assento para bebês, não o deixe pender para frente com a cabeça para baixo, o que poderia causar problemas respiratórios. Ajude o bebê a manter a cabeça ereta, usando almofadas no banco do carro que proporcionem um suporte extra.

Uma possível desvantagem dessa sugestão é o bebê acostumar-se a dormir ereto, o que posteriormente poderá lhe causar problemas quando ele tentar dormir na horizontal. Portanto, é bom intercalar as sonecas no assento do carro com outras em superfície plana.

Sons Suaves

Inúmeras empresas agora produzem gravações de batimentos cardíacos imitando o que o bebê ouvia no útero. Esses sons podem ser reconfortantes para o recém-nascido. Como mencionado anteriormente, a música suave também pode ajudar.

Bons Aromas

O olfato do bebê é mais definido que o do adulto. Pesquisas mostram que o bebê pode reconhecer a mãe pelo cheiro. Se tiver um pequeno bicho de pelúcia, seguro, ou uma manta, mantenha-os junto ao corpo por algumas horas e depois coloque-os no berço enquanto o bebê dorme, seguindo sempre as precauções de segurança.

Cama Aquecida

Quando o bebê sonolento é colocado em lençóis frios, ele pode despertar totalmente. Enquanto o amamenta, a mãe pode aquecer o berço com uma bolsa de água quente, por exemplo, retirando-a antes de colocar o bebê e sempre verificando com a mão se não está quente demais. Outra alternativa é usar lençóis de flanela.

Fique à Vontade

Nunca ouvi pais dizerem que adoram levantar durante a noite para cuidar do bebê. Por mais que amemos nossos pequeninos, é muito difícil acordar várias vezes, noite após noite. Mas como, sem dúvida, o bebê *irá* acordá-lo, procure ficar bem à vontade.

Aceite o Fato de Acordar à Noite com o Recém-nascido

A primeira etapa é aprender a relaxar sobre o fato de acordar várias vezes à noite. Ficar estressado ou frustrado não mudará nada. É bem parecido com o quarto estágio do parto — um período de tempo curtíssimo na vida, e depois, provavelmente, não somos capazes de lembrar claramente da fadiga esmagadora. A situação melhora dia a dia; e, antes de percebermos, o recém-nascido já não será tão pequenino — estará andando, falando e colocando a mão em tudo durante o dia e dormindo tranqüilamente à noite. Mas você agora está no estágio do "recém-nascido sem dormir". Portanto, faça o possível para enfrentá-lo da melhor maneira. Aqui estão algumas sugestões para tornar suas atividades noturnas menos perturbadoras:

- Deixe o lugar onde amamenta o bebê à noite aconchegante e confortável. Se você o amamenta sentada em uma cadeira, use a mais confortável que tiver. Se usar uma cadeira de balanço, verifique se o assento e encosto são macios. Providencie também um apoio macio para os pés e uma mesa ao lado da cadeira onde possa colocar um copo de água, um livro, a luminária e qualquer coisa que ajude a deixar mais convidativos esses episódios noturnos.
- Se o bebê mama na mamadeira, deixe todos os itens necessários à mão.
- Invista em um travesseiro especificamente projetado para a amamentação ou experimente usar travesseiros e almofadas comuns para apoiar você e o bebê enquanto o amamenta.
- Se você amamenta na cama, o conforto é importantíssimo. Muitas mães queixam-se de dor nas costas por amamentarem na cama. Isso ocorre porque as costas se curvam ao dar o peito ao bebê. Por isso, encontre uma posição relaxada e confortável e deixe o bebê *ajeitar-se* ao redor de seu corpo. Os bebês são muito flexíveis e acomodam-se em qualquer espaço disponível. Até mesmo os maiores, com dezoito meses, conseguem acomodar-se confortavelmente quando a mãe deita-se de lado e dobra os joelhos (falo por experiência própria.)
- Se a mãe e o bebê dormem na mesma cama, veja se a cama é grande o suficiente para que todos fiquem à vontade. Caso contrário, invista em um colchão maior.
- Durante os primeiros meses, organize sua agenda em torno das necessidades do bebê. Evite planejar atividades noturnas que interfiram no horário dele dormir ou que a mantenham fora de casa até tarde. O mundo *terá* que esperar alguns meses.
- Relaxe e diminua o ritmo. Esse momento dura muito pouco. Adie todas as coisas menos importantes para realizar a mais importante: cuidar do recém-nascido. Não há problema algum nisso — verdade.

Não Deixe o Bebê Dormir sem se Alimentar Bem

Tente fazer com que a última mamada antes de dormir seja completa. Se o bebê adormecer após mamar em um peito ou após mamar metade da mamadeira, mude-o de lado, remova o cobertor, toque nos dedinhos dos pés, e incentive-o a terminar de mamar. Caso contrário, ele logo acordará e ainda faminto.

Crie Sessões de Amamentação Repousantes

Um conselho que as mães ouvem o tempo todo é: "Durma enquanto o bebê dorme durante o dia". Boa idéia, mas, como mãe atarefada, a última coisa que consigo fazer enquanto o bebê dorme é dormir! E aposto que o seu horário é tão cheio quanto o meu. Portanto, sonecas repousantes e longas estão fora de questão. Mas, durante o dia, você pode *repousar* enquanto amamenta o bebê. Ele mama com freqüência nos primeiros meses. Sua *função* é relaxar e amamentá-lo. Não fique preocupada com tudo que *deveria* fazer. *Amamentar* é o que você *deve* fazer nos primeiros meses de vida do bebê.

Siga essas etapas sempre que se sentar para amamentar:

- Relaxe.
- Respire lentamente.
- Solte os ombros. (As mães costumam erguer os ombros durante a amamentação, sobretudo nos primeiros meses, o que cria tensão muscular nos ombros, braços e pescoço.)
- Gire a cabeça em círculo para aliviar a tensão.
- Aproveite alguns minutos de tranqüilidade com o bebê; tire vantagem da oportunidade de fitar o pequenino. Comece a criar lembranças.
- Leia, se quiser. (Ou leia para o bebê.)
- Assista à televisão ou a um filme, ou ouça música, se essas atividades relaxam você.

Simplifique Sua Vida

Simplifique sua vida o máximo possível durante os primeiros meses de vida do bebê. Relaxe em seus cuidados com a casa. Aceite qualquer ajuda que lhe for oferecida, sem sentimento de culpa. Sua prioridade agora é cuidar do bebê.

Tenha Expectativas Realistas

O recém-nascido não dormirá a noite toda. Não há respostas mágicas ou atalhos para a maturidade do sono. Se focarmos no desejo de uma noite inteira de sono, a única coisa que vamos conseguir é chorar por algo que não podemos ter agora. O melhor conselho que posso dar às mães é que se lembrem de que esses primeiros meses passam rapidamente e logo vêm à tona as lembranças de quando segurávamos o pequenino nos braços.

> Sou consultora de mães que amamentam, e estou orientando a mãe de um recém-nascido. Hoje fui visitá-la. Ela estava satisfeita porque o bebê "dormiu a noite toda". Fiquei alarmada porque o bebê tem apenas cinco dias de vida, jovem demais para dormir a noite toda sem ser amamentado. Pedi detalhes e descobri o seguinte: o bebê dorme com a mãe e, durante a noite, cada vez que ele mexia, ela lhe dava o peito. Ele mamava um pouquinho e voltava a dormir rapidamente, sem problemas. Era isso que a mãe denominou de "dormir a noite toda". Não é lindo que uma mãe novata pense assim?

Parte Dois: Soluções para Bebês Mais Velhos — Quatro Meses a Dois Anos de Idade

A seção seguinte apresenta inúmeras sugestões para bebês após o estágio de recém-nascido até dois anos de idade e, às vezes, um pouco mais. Para as mães com bebês mais jovens, talvez seja interessante ler as informações sobre recém-nascidos que começam na página 36.

Prepare-se

Esta sugestão pode ser útil a todos.

No decorrer de minhas pesquisas e por experiência própria, descobri que nossas emoções quase sempre nos impedem de mudar os hábitos que o bebê tem ao dormir. Talvez sejamos o próprio obstáculo impedindo a mudança da rotina que nos perturba a vida — neste caso, os hábitos do bebê ao dormir. Afinal de contas, você provavelmente não estaria lendo este livro se não estivesse tendo dificuldades em adaptar a rotina de sono do bebê à sua vida. Portanto, vamos ver se há algum impedimento.

Examine suas próprias necessidades e objetivos

Antes de ler outra página deste livro, faça a si mesma algumas perguntas e tome uma decisão. Seja sincera: o despertar do bebê e as suas estratégias para lidar com ele estão realmente *lhe* desagradando? Ou o problema está naqueles que a cercam? O que estou tentando dizer é que os hábitos de dormir do bebê são problemáticos apenas se *você* assim os considerar. A sociedade moderna nos leva a crer que "bebês normais" dormem a noite toda a partir dos dois meses de vida; minhas pesquisas indicam que isso é a exceção à regra. Descobri que, até a idade de três anos, uma grande porcentagem de crianças acorda durante a noite solicitando a atenção dos pais. O número de famílias vivendo a mesma situação que você é imenso. Portanto, não ache que é preciso pressionar o bebê ou a si mesma para que se encaixem em algum requisito imaginário em relação ao sono.

Depoimento de Mãe

"Em nossa última reunião na creche, um pai levantou a questão de que a filha de dois anos de idade não dormia a noite toda. Isso gerou uma longa discussão, e descobri que, de vinte e quatro crianças pequenas, apenas seis dormiam a noite toda. Como minha filha acorda várias vezes à noite, senti-me reconfortada ao entender que, aparentemente, esse é o comportamento infantil normal."

Robin, mãe de Alicia, treze meses de idade

Precisamos descobrir onde está o problema. Está na rotina do bebê, na forma em que você a administra ou apenas na cabeça dos outros? Se honestamente disser que deseja mudar os hábitos do bebê ao dormir porque eles estão incomodando você e à família, então pode continuar a leitura. Mas se acha que está sendo coagida a mudá-los porque a tia Maria, a vovó Zazá, a amiga da academia ou até mesmo o pediatra querem, é hora de refletir profundamente.

Todo bebê, mãe e família são singulares. Apenas você pode determinar as respostas certas para sua situação.

Quando decidir como realmente se sente em relação ao sono do bebê, poderá ler este livro sabendo melhor o que esperar das coisas que aprenderá.

É um bom momento para fazer uma avaliação. Compare o padrão de sono de seu filho com as informações no Capítulo 2 sobre a necessidade média de sono do bebê. Esse capítulo também discute a freqüência com que os bebês *geralmente* acordam à noite. Use essas informações para determinar suas metas em relação ao sono de seu bebê.

Certamente, se o pequenino acorda você a cada uma ou duas horas (como o meu Cole fazia), não há muito o que pensar sobre a questão "Esse padrão me incomoda?", claro que sim. Contudo, se o bebê acorda apenas uma ou duas vezes por noite, é importante que você determine exatamente até que ponto esse padrão lhe perturba e decida por uma meta realista. Se deseja doze horas consecutivas de sono — das 19 às 7 da manhã —, a meta não é razoável. Afinal de contas, acordar uma ou duas vezes à noite é normal durante os dois primeiros anos de vida, embora muitos livros e artigos digam o contrário. Acho estranho que com mais de 50 % de bebês, com menos de dois anos de idade, acordando durante a noite, isso seja considerado "distúrbio." Com uma porcentagem tão elevada, eu diria que é "normal". Apenas porque é normal, contudo, não significa que possamos, ou devemos, conviver com a situação. Podemos fazer muitas coisas para encorajar o bebê a dormir durante mais tempo.

Portanto, seja realista ao determinar sua meta e honesta ao avaliar o efeito da situação sobre sua vida. Algumas pessoas são capazes de lidar com o fato de levantarem duas vezes por noite, enquanto outras consideram devastador o efeito de acordarem apenas uma vez. O segredo é avaliar se você encara o horário do sono do bebê como um problema ou se é apenas a opinião daqueles que a cercam, cujos conhecimentos sobre os padrões normais de sono são inferiores aos seus.

Se o padrão de sono de seu bebê for problema para você, este livro vai ajudá-la a solucioná-lo. E, mesmo se você acha que acordar uma ou duas vezes por noite não é tão ruim assim, ainda poderá utilizar esses conceitos para ajudar seu bebê a eliminar, gradativamente, essas interrupções no sono mais cedo.

Comece hoje a analisar essas questões:

- Estou satisfeita com a situação atual ou sinto-me frustrada, ressentida ou com raiva?
- A rotina noturna do meu bebê afeta negativamente meu casamento, o trabalho ou o relacionamento com os outros filhos?
- O meu bebê é alegre, saudável e bem-descansado?
- Segundo os fatos deste livro (ver Capítulo 2), qual seria a expectativa razoável para meu bebê na idade em que se encontra?
- Que situação de sono diurno e noturno eu consideraria "aceitável"?
- Que situação de sono diurno e noturno eu consideraria "perfeita"?

Ao responder essas questões você terá uma melhor compreensão não apenas do que está acontecendo com relação ao sono do bebê, mas também sobre sua motivação para empreender mudanças.

Sua motivação é um componente-chave para o sucesso deste plano.

Relutância em Abandonar Aqueles Momentos Noturnos

Um questionamento profundo poderá surpreendê-la bastante. Talvez descubra que, na verdade, *sente prazer* ao acordar várias vezes à noite quando não há ninguém por perto. Lembro-me de amamentar Cole no meio da noite, à luz do luar. Meu marido, as outras três crianças e vovó dormiam. A casa estava em silêncio total. Enquanto suavemente acariciava os cabelos e a pele macia dele, me encantava a presença desse ser minúsculo ao meu lado — e eu pensava: "Adoro isto! Adoro estes momentos silenciosos que compartilhamos à noite. E adoro a idéia de que este bebê tão precioso precisa de mim". Foi então que percebei que eu precisava *querer* mudar nossos hábitos de sono antes de obter qualquer êxito.

É preciso examinar nossos próprios sentimentos. E se constatarmos que realmente queremos mudar, precisaremos nos dar permissão para abandonar esse estágio da vida do bebê e passar à fase seguinte do relacionamento mãe-filho. Haverá muito tempo para abraçar, acariciar e amar o pequenino, mas, para que este plano funcione, é preciso querer e estar pronto para transferir aqueles momentos noturnos para a luz do dia.

Depoimento de Mãe

"Bem, para ser honesta comigo mesma, eu diria que — sem dúvida — me encaixo muito bem nesta categoria. Sempre adorei acordar para amamentar meus bebês à noite. Acalentar e amamentar aquele pedacinho de gente na penumbra, quando o resto da família está dormindo, é uma das coisas mais lindas de ser mãe. Nós não somos pagas com cheque, mas com abraços, carinhos e beijos. Esses momentos noturnos juntos equivalem à hora extra para aumentar o salário ou talvez a um bônus da empresa. Dá para perceber minha relutância em mudar?"

Donna, mãe de Zachary, nove meses

Preocupe-se com a Segurança do Bebê

Nós, pais, nos preocupamos com nossos bebês, e com razão! Cada vez que acordamos à noite para atender às necessidades de nosso filho, também obtemos a certeza de que ele está bem — a cada uma ou duas horas a noite toda. Vamos nos acostumando com essas verificações porque elas nos proporcionam a confirmação contínua da segurança do bebê.

Assim que decidimos ajudá-lo a dormir por mais tempo, provavelmente passamos a reagir como a "mamãe urso" superprotetora. Após três, quatro ou mais horas, ficamos preocupadas. O bebê está respirando? Está com calor? Frio? Molhado? Enrolado nos lençóis? Dormindo de bruços?

Depoimento de Mãe

"A primeira vez que meu bebê dormiu cinco horas consecutivas, acordei suando frio. Quase caí da cama e corri pelo corredor. Eu tinha certeza de que algo estava errado. Quase chorei quando a encontrei dormindo tranqüilamente."

Azza, mãe de Laila, sete meses

Essas preocupações são normais, enraizadas no instinto natural de proteger o bebê. Portanto, para permitir que ele durma mais tempo, é preciso encontrar maneiras de confiar em sua segurança — a noite toda.

A melhor maneira é rever o Capítulo 1 e tomar todas as medidas de segurança necessárias. Talvez você queira deixar aberta a porta do quarto, ou a babá eletrônica ligada, para ter certeza de que ouvirá o bebê durante a noite se ele precisar de você.

Pais que dormem com o bebê na mesma cama não estão isentos desses temores. Se estiver dormindo ao lado do bebê, constatará que se acostumou a checá-lo, várias vezes, a noite toda. Mesmo quando ele dorme por períodos mais longos, *você* não dorme porque ainda está desempenhando a tarefa de cuidar de sua segurança.

Quando conseguir garantir a si mesma que o bebê está seguro enquanto você dorme, terá dado aquele primeiro passo para ajudá-lo a dormir a noite toda.

A Crença de que a Situação Mudará Sozinha

Você pode ter esperança, orar e desejar que um belo dia seu bebê comece a dormir a noite toda em um passe de mágica. Talvez você esteja cruzando os dedos para que ele simplesmente "supere" essa etapa sem que você tenha que mudar coisa alguma. É raríssimo o bebê que acorda à noite e resolve sozinho, de repente, dormir a noite toda. Claro, isso pode acontecer — mas quando o bebê tiver dois, três ou quatro anos de idade! Decida agora se tem paciência para esperar tanto tempo ou se está preparada para prosseguir nesse processo.

Exausta até para Pensar em Mudanças

Mudança requer esforço, e esforço requer energia. No estado de exaustão, é mais fácil manter a situação como está do que tentar algo novo. Ou seja, quando o bebê acorda pela quinta vez na mesma noite e estou desesperada para dormir, é muito mais fácil apelar para a forma mais simples de fazê-lo adormecer novamente (embalar, amamentar ou dar-lhe a chupeta) do que tentar outra alternativa.

Apenas o pai realmente exausto e desejoso de algumas horas de sono pode entender o que estou dizendo. Outros talvez consigam aconselhar calmamente: "Bem, se a situação não está funcionando para você, basta mudar o que está fazendo". Contudo, cada despertar noturno nos coloca naquele estado nebuloso onde a única coisa que desejamos ardentemente é dormir — planos e idéias exigem muito esforço.

Se quisermos ajudar o bebê a dormir a noite toda, *teremos* que nos forçar a seguir o plano, mesmo no meio da noite, mesmo se o bebê acordou pela décima vez. A melhor defesa aqui é dizer a si mesmo: "Em um ou dois meses o bebê estará dormindo a noite toda. Posso sobreviver por algumas semanas". E realmente podemos. (Sobretudo quando consideramos a alternativa: lidar com o despertar noturno por um ano ou mais!)

Portanto, se após a leitura desta parte você tem certeza de que você e o bebê estão prontos, é hora de se comprometer a mudar. Agora. *Esta noite.* O momento é agora.

Prepare o Bebê

Esta sugestão pode ser útil a todos.

Antes de tentar quaisquer mudanças na rotina que o bebê segue para dormir, verifique se ele está à vontade, saudável e bem-alimentado. O bebê com fome, frio, infecção no ouvido, alergia ou qualquer outro problema de saúde acorda à noite em conseqüência da dor ou desconforto. Descarte essas possibilidades antes de empreender o plano para que ele durma melhor. (Para mais informações sobre questões médicas e de saúde que mantêm o bebê acordado à noite, leia o Capítulo 8.)

Não Deixe o Bebê Sentir Fome Durante o Dia

Verifique se o bebê está comendo o suficiente durante o dia, sobretudo se é exclusivamente amamentado pela mãe ou com leite em pó. Alguns bebês desenvolvem o hábito de mamar no peito ou na mamadeira a noite toda, assimilando porcentagem excessiva das calorias diárias. Para dormir mais à noite, eles precisam se alimentar durante o dia.

Se os pequeninos se alimentam com comida sólidas, verifique se o que escolheu é saudável. Claro, seu filhinho adora queijo e é a única coisa que come, mas as regras da boa nutrição dizem que ele deve ingerir uma variedade de alimentos. A boa nutrição é importante para a saúde geral, incluindo-se o sono equilibrado.

Depoimento de Mãe

"Meu bebê de catorze meses acordava chorando e demorava muito para voltar a dormir. Em determinado momento eu fiquei tão frustrada e cansada que desci e liguei a tevê. Ele deu um grito e com a luz da tela pude ver dentro de sua boca — três saliências enormes rosadas e esbranquiçadas nas gengivas, onde os molares estavam despontando. O pobrezinho sentia dor demais e não conseguia dormir. Deixei que mordesse uma toalha molhada, fria, e ele se acalmou. Depois, adormeceu."

Jessie, mãe de Blaine, catorze meses

Observe o que seu filho come antes de dormir. Ele prefere alimentos que contribuem para o sono regular? Alguns alimentos são mais facilmente digeridos do que outros e menos propensos a perturbar os ciclos do sono. Pense em "alimentos confortáveis" — carboidratos complexos, saudáveis e proteínas nutritivas. As opções são infinitas: cereais integrais (com pouco açúcar!), mingau de aveia, arroz integral, iogurte, queijo, sobras de carne. Frutas e ervilhas congeladas (para crianças maiores que não correm o risco de engasgar) satisfazem o desejo por doce.

Por outro lado, muitos alimentos costumam "acelerar" o organismo. Fique atenta à cafeína e a outras substâncias estimulantes ocultas em determinados alimentos. Embora o pensamento científico moderno afirme que o açúcar não causa comportamento hiperativo em crianças, eu ainda suspeito de um certo efeito sobre a capacidade e a disposição para acalmar e adormecer. Biscoitos doces e bolo de chocolate não são boas opções para o final do dia.

Se o seu filho, como a maioria, passa por períodos de falta de apetite, não se desespere. Lembre-se de que os pediatras consideram a dieta infantil do ponto de vista semanal e não diário. Ou seja, ao avaliar se a dieta da criança é saudável, pense nas proporções dos principais grupos de alimentos consumidos no decorrer de uma semana.

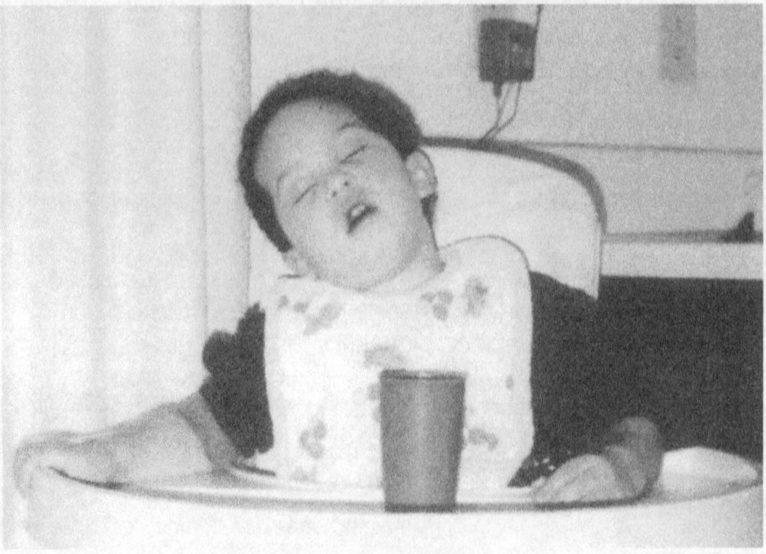

Jarell, doze meses

Amamente Mais Durante o Dia

Se o bebê está acostumado a mamadas noturnas freqüentes, ele está assimilando uma boa parte dos alimentos durante aquelas sessões de amamentação longas e tranqüilas. Talvez a mãe deva amamentar mais vezes durante o dia, por algum tempo, para reduzir as mamadas noturnas.

O bebê talvez esteja acordando à noite tanto pelo conforto e conexão emocional quanto pelo leite — sobretudo se, durante o dia, a mãe está ocupada, trabalhando ou cuidando dos outros filhos. Se você se preocupa com isso, dê ao pequenino uma atenção extra e amamente-o mais vezes durante o dia para ajudá-lo a ajustar-se à redução das sessões noturnas de amamentação.

Preste atenção aos tipos de alimentos que *você* ingere porque eles podem afetar o leite materno. Observe as reações do bebê quando você bebe café, chá ou refrigerantes, ou quando ingere laticínios, castanhas ou verduras como brócolis, feijão e couve-flor.

Como no caso da pequena Austen, o bebê curioso e inquieto pode ser ativo demais e, durante o dia, não quer comer ou ser amamentado. Neste caso, tente dar ao bebê ativo "alimentos práticos" — algo que ele possa comer andando. Outra opção é oferecer porções pequenas de alimentos enquanto ele brinca. O segredo é ajudá-lo a consumir as calorias diárias durante o dia e não à noite.

Depoimento de Mãe

"Austen mal come durante o dia e, depois, mama a noite toda. Tento oferecer-lhe alimentos várias vezes ao dia, mas quase sempre ela está agitada demais ou muito distraída para comer. Ela adora os momentos que passamos juntas antes de dormir. Tenho a impressão de sempre demorar mais de uma hora para fazê-la dormir e as sessões de amamentação no meio da noite são longas."

Annette, mãe de Austen, doze meses

Verifique o Conforto Noturno do Bebê

Veja se a cama do bebê é confortável (não *muito* macia ou funda como discutido no Capítulo 1). Vista-o de acordo com a temperatura ambiente, tomando cuidado para que ele não sinta muito frio nem muito calor. Se a casa for fresca à noite, ponha pijamas grossos sobre um *body*. Se estiver quente, resfrie o quarto deixando a janela aberta ou usando um ventilador, mas obedeça às regras de segurança.

Desenvolva uma Rotina para a Hora de Dormir

Esta sugestão pode ser útil a todos.

A rotina noturna transforma-se em um sinal para o bebê de que é hora de dormir. Ela provoca uma resposta condicionada no bebê: "Ah! É hora de dormir! Devo estar com sono!".

A rotina noturna é fundamental para sinalizar e preparar o bebê para dormir. Escolha nesta lista qualquer um dos itens de sua preferência para ajudar a acalmar o bebê:

- Um banho morno, tranqüilo
- Massagem
- Ler livros
- Cantar
- Colocar música suave
- Fazer uma caminhada
- Embalar
- Amamentar
- Dar mamadeira

A hora que antecede o momento de ir para a cama deve ser tranqüila. A rotina deve incluir cômodos na penumbra. A última etapa deve ser concluída no quarto do bebê, escuro e silencioso, com pouca conversa e sua técnica usual para fazê-lo dormir. Anote sua rotina e seja bem específica. Um exemplo:

1. 19 horas — Banho
2. Massagem com loção infantil
3. Vestir o pijama
4. Ler três livros
5. Apagar as luzes
6. Cantar
7. Amamentar ou dar a mamadeira
8. Massagear as costas
9. Dormir

Use o formulário na página 111 para anotar a sua rotina noturna.

Depoimento de Mãe

"Seguimos nossa rotina todas as noites. Posso ver que agora ela espera ir para a cama após o banho. Até parece ansiosa por isso."

Tammy, mãe de Brooklyn, sete meses

Siga a rotina *exata* toda noite. Tente evitar sair na hora do bebê dormir durante este período de adaptação. Se for necessário sair e chegar em casa após o início usual da rotina noturna, passe por todas as etapas, mesmo se tiver que reduzir o tempo gasto em algumas.

A Rotina Ajuda a Acertar o Relógio Biológico do Bebê

Além da própria rotina, se for possível colocar o bebê para o sono diurno e noturno à mesma hora, todos os dias, o sucesso será mais rápido porque a coerência ajudará a acertar o relógio interno do bebê.

Uma vantagem extra dessa sugestão é que a rotina detalhada organiza sua vida, reduzindo o estresse e a tensão.

Uma Rotina Flexível É Melhor

Quando falo em "rotina" certamente não estou me referindo a uma seqüência rígida! Lembre-se de que também sou mãe e sei que a flexibilidade é importantíssima quando temos um bebê! Tente manter a rotina sempre que possível, mas observe o bebê também. Se o pequenino está inquieto e bocejando, não é hora de tomar banho ou ler histórias! É hora de ignorar algumas etapas e ir direto para a cama! Às vezes, temos que abandonar toda a rotina; se a bisavó estiver completando 100 anos, não pense que terá de sair da festa às 18 horas em ponto para seguir a rotina noturna. Há momentos em que precisamos nos adaptar às circunstâncias e retomar a rotina na noite seguinte.

Depoimento de Mãe

"Acho a sugestão da rotina noturna essencial. Percebi que quando pulo algumas etapas sempre tenho mais dificuldade para fazê-lo dormir."

Diane, mãe de Jamar, sete meses

A Rotina para Dormir É Importante Durante Toda a Infância

Não pense que a rotina para dormir é cansativa, insignificante ou desnecessária. Ela é *sempre* importante para as crianças. Até cerca de dez anos de idade, a criança gosta de passar momentos tranqüilos com os pais antes de dormir. Ler, conversar, massagear as costas e simplesmente ficar juntos tranqüilamente são importantes rituais que antecedem o sono. Na verdade, acho que a maioria dos pais que *não* seguem uma rotina noturna formal geralmente passam os momentos que antecedem a hora de dormir brigando com os filhos para irem para a cama — e *isso* é desagradável e desnecessário.

Em determinado momento, a criança não necessita mais do ritual e a maioria dos pais chora essa perda. Minha rotina noturna com minha primogênita, Angela, mudou no decorrer dos anos. Costumávamos passar aqueles momentos abraçadas e lendo juntas na cama. Agora, começa quando apareço à porta de seu quarto. Ela coloca o telefone de lado, me dá um beijo e um abraço e me deseja boa-noite. Depois, volta para a cama e retoma a conversa ao telefone. A vida muda e o mesmo ocorre com as rotinas para dormir.

Estabeleça um Horário para Dormir Cedo

Esta sugestão pode ser útil a todos.

Muitos pais põem o bebê para dormir tarde demais, sempre esperando que, se o bebê estiver "muito cansado", ele dormirá melhor. Na maioria das vezes, o resultado é oposto ao esperado porque o bebê fica exausto e passa a sofrer privação crônica do sono. Em *The Promise of Sleep* (Dell, 2000), o Dr. William C. Dement afirma: "Os efeitos do atraso na hora de dormir, mesmo que seja de apenas meia hora, podem ser sutis e nocivos (muito destrutivos)" para bebês e crianças pequenas.

O relógio biológico do bebê é previamente ajustado para dormir cedo. Quando os pais seguem esse horário, o bebê dorme com maior facilidade e tranqüilidade. A maioria dos bebês está preparada para dormir a partir das 18h30 ou 19h. É útil estabelecer o horário de dormir do bebê e dar início à rotina noturna uma hora antes, se possível.

Muitas vezes, ouço falar de bebês e crianças menores que têm um período de "explosão" ao final do dia, quando ficam irritados e teimosos. Suspeito que seja apenas um sinal de crianças exaustas querendo dormir.

Dormir Cedo, Levantar Cedo?

Para os bebês, dormir cedo *não* significa levantar cedo! A maioria dorme melhor e por mais tempo quando vai para a cama mais cedo. Muitos pais temem colocar o bebê para dormir muito cedo pensando que terão de enfrentar o fato de eles acordarem às 5 da manhã. Ou talvez chegam do trabalho e *desejam* manter o bebê acordado até tarde para brincar. Mas isso pode dar um resultado contrário ao esperado e o bebê fica exausto, inquieto e agitadíssimo e, na maioria das vezes, dormir mais tarde acarreta aquele despertar bem cedo na manhã seguinte.

Depoimento de Mãe

"Certa noite, fomos visitar alguns amigos e, com toda a empolgação, perdemos a 'oportunidade' de colocar Alicia para dormir. Ela tornou-se 'estranha'. Corria pela casa como um carro de corrida desgovernado. Quando finalmente a convenci a deitar-se em meu colo para mamar, foi como amamentar um macaquinho! Ela demorou uma eternidade para se acalmar e adormecer."

Robin, mãe de Alicia, treze meses

Meu pequeno Cole costumava ir para a cama às 21 ou 21h30, o horário de meus outros filhos dormirem, porque era conveniente para mim. Àquela hora da noite, ele demorava mais para se acalmar. Eu nunca liguei sua incapacidade de acalmar-se com o fato de ir para cama tão tarde. Quando comecei a levá-lo para a cama entre 19 e 20 horas, ele adormecia rapidamente e o sono era mais profundo. E, como vantagem extra, recuperei "meu" tempo à noite do qual nem mais me lembrava. Essa é uma experiência comum entre minhas mamães experimentais. Muitas ficaram realmente surpresas ao descobrirem que colocar o bebê para dormir mais cedo o ajudava a adormecer com maior rapidez e facilidade e, quase sempre, a dormir melhor e acordar mais tarde.

E os Pais que Trabalham?

Se você trabalha e a noite com o pequenino *começa* às 18h30 ou 19 horas, poderá sentir-se dividida entre manter o bebê acordado para brincar com ele e colocá-lo diretamente na cama para dormir. Se está lendo este livro, sei que gostaria que o bebê dormisse melhor. Essa é a idéia-chave e, por isso, vale a pena tentá-la para ver quais os resultados no seu caso.

Alguns pais que trabalham acham que quando o bebê adormece mais cedo, e dorme melhor, ele acorda de bom humor, disposto a brincar. Como os pais tiveram uma boa noite de sono, podem levantar mais cedo e reservar alguns momentos antes do trabalho para brincar com o bebê, uma alternativa para a sessão noturna de brincadeiras. Todos aproveitarão melhor os momentos matinais. Posteriormente, quando o bebê dormir a noite toda, todas as noites, pode-se mudar a hora de dormir para mais tarde e avaliar se a diferença afeta o sono dele.

Encontrar a Melhor Hora de Dormir para o Bebê

É preciso experimentar até encontrarmos a melhor hora para o bebê dormir. Se estivermos colocando-o muito cedo na cama, à noite, podemos lidar com o ajuste de duas maneiras:

- Antecipar a hora de dormir do bebê de 15 a 30 minutos a cada duas ou três noites. Prestar atenção se ele adormece com facilidade e, quando vai acordar, seu estado de humor, para avaliar a eficácia das mudanças até que se defina o melhor horário.
- Por volta de 18h30, começar a observar o bebê atentamente. Assim que ele apresentar quaisquer sinais de cansaço, coloque-o imediatamente na cama, mesmo se o horário de dormir anterior foi 23 horas. (Veja na página 73 a lista de sinais de cansaço.) Nesse momento, mantenha a casa silenciosa e o quarto do bebê escuro, reproduzindo o ambiente usual no meio da noite. Se esse novo horário for muito mais cedo do que o usual, o bebê pode achar que vai tirar apenas um cochilo e acordar pouco depois. Se isso acontecer, aja logo para que ele não desperte totalmente. Siga o método costumeiro para ajudá-lo a adormecer, como embalá-lo ou amamentá-lo; mantenha o quarto escuro e silencioso como no meio da noite. Talvez demore uma semana ou mais para ele se ajustar ao novo horário de dormir.

Depoimento de Mãe

"Eu esperava até 22 horas para colocar Brooklyn na cama porque é o horário em que eu vou dormir e parecia mais fácil. Mas a sua sugestão fazia tanto sentindo que ontem à noite eu a coloquei para dormir às 20 horas. Adorei passar o resto da noite com meu marido. Há meses não ficávamos tanto tempo juntos! E, na verdade, o bebê dormiu melhor. Fico feliz em ver que todas as nossas necessidades podem ser atendidas de forma tão agradável."

Tammy, mãe de Brooklyn, sete meses

Siga uma Rotina Diurna Flexível, mas Previsível

Esta sugestão pode ser útil a todos.

Durante o primeiro ano de vida, o relógio biológico do bebê amadurece lentamente. Segundo o Dr. Dement, "Com o passar das semanas, o bebê começa a dormir e ficar acordado por mais tempo. Isso é causado pela consolidação dos períodos de sono. Depois, por volta da quadragésima semana, ele começa a acordar e a adormecer por volta da mesma hora todos os dias. O relógio biológico entra em sintonia com o dia de vinte e quatro horas".

Sim, é isso mesmo que você leu. Ele escreveu *quadragésima semana!* Dez meses! Ou seja, não podemos forçar o bebê a atender o desejo dos pais de um dia agradável, uma soneca demorada e uma noite de sono longa e ininterrupta. Precisamos tornar o mundo do bebê propício ao sono da melhor maneira possível. Precisamos remover quaisquer obstáculos para o sono noturno tranqüilo e esperar pacientemente que a natureza faça o que é melhor. Sim, alguns bebês consolidam o sono antes de quarenta semanas e alguns exigem mais tempo.

Mesmo considerando-se as limitações do momento de consolidação natural do sono do bebê, podemos ajudar esse processo ao garantirmos que, ao acordar pela manhã, ele seja exposto à luz do dia e que a hora anterior ao sono noturno seja silenciosa e com iluminação mínima. Acordar a mesma hora todas as manhãs também pode ajudar a acertar o relógio biológico do bebê. Claro, isso significa que *você* tem que se levantar à mesma hora todas as manhãs, mas ajudará a acertar o seu relógio biológico também.

Dias Rotineiros, Noites Rotineiras

Manter um esquema regular de alimentação, sono e atividades ajuda a acertar o relógio interno do bebê. Como exemplo: embora você talvez goste de dormir até tarde nos finais de semana, isso pode atrapalhar o horário regular do bebê; ele não sabe que dia é e nem quer saber. Quaisquer mudanças em seu padrão de sono normal impede que seu relógio biológico funcione adequadamente. (A propósito, isso é válido também para adultos. Uma das melhores maneiras de tratar insônia em adultos e definir uma hora para acordar e segui-la a semana toda. Leia mais sobre isso no Capítulo 11.)

Como mencionei antes, não estou sugerindo um programa em que não se tira os olhos do relógio. Esses esquemas apenas acrescentam estresse desnecessário aos pais e ao bebê. Por outro lado, estabeleça uma rotina diurna usual e ajuste-a diariamente segundo sinais do bebê, o seu estado de espírito, o tempo e quaisquer situações novas. O que queremos evitar é uma semana de eventos aleatórios — despertar na segunda-feira, às 7 da manhã, terça às 9, almoçar às 11 na quarta-feira, às 13 na quinta; tirar uma soneca na segunda, às 11, na terça, às 13. Quando seu horário (ou falta dele) for assim, o relógio biológico do bebê não consegue funcionar adequadamente. É muito melhor ter um padrão previsível, permitindo flexibilidade.

Depoimento de Mãe

"Não sou muito ligada a 'rotinas', mas com os gêmeos tive que me disciplinar. Tento não ser escrava do relógio; porém, presto atenção aos sinais dos bebês. Por exemplo, tento colocá-los no berço para uma soneca por volta de 9h30. Hoje Rebecca demonstrava cansaço visível às 9h30. Thomas, por outro lado, estava a todo vapor, rindo, brincando e curtindo a vida — sem o mínimo sinal de cansaço. Portanto, coloquei Rebecca no berço e fiquei com Thomas mais trinta minutos. Se tivesse tentado colocá-lo para dormir junto com Rebecca sem estar cansado, eu teria conseguido fazê-lo dormir, mas teria sido uma luta. Ao esperar trinta minutos, até ele mostrar sinais de cansaço, consegui fazê-lo dormir facilmente. Ou seja, meu dia é vagamente estruturado, com uma certa flexibilidade, dependendo dos bebês."

Alice, mãe dos gêmeos Rebecca e Thomas, seis meses

A rotina diária para a criança de dois anos de idade pode ser mais ou menos assim:

7h — Levantar
Vestir-se
Tomar o café da manhã
Brincar
11h30-12h — Almoço
12h-12h30 — Soneca
Após a soneca, lanche
Brincar
15h — Jantar
18h30-19h — Banho e início da rotina para dormir
20h — Hora de dormir

Quando temos uma rotina diária para comer, dormir e brincar, constatamos que o bebê fica mais disposto para dormir durante o dia, comer, dormir à noite na hora preestabelecida, porque seu relógio interno segue a programação previsível. Naturalmente, se o bebê apenas mama na mãe ou se come dietas prontas, devemos alimentá-lo sempre que ele estiver faminto, segundo sinais que ele mesmo emite. Contudo, podemos elaborar uma rotina previsível em torno de outras partes do dia.

Faça o Bebê Tirar Sonecas Regulares

Esta sugestão pode ser útil a todos.
Segundo pesquisas sobre sono e experiência materna, a duração e a qualidade do sono diurno afeta o sono noturno e vice-versa. Uma soneca com menos de uma hora não conta. Esses cochilos podem acalmar, mas como o ciclo do sono fica incompleto, eles podem deixar o bebê mais irritado a longo prazo. Alguns bebês parecem reescrever essa regra e funcionar perfeitamente com um cochilo de quarenta e cinco minutos, mas não considere isso como válido para o seu bebê a menos que haja coerência entre seu sono diurno e noturno e ele pareça bem-descansado.

Depoimento de Mãe

"Agora que tenho consciência da importância do sono diurno, esforço-me para que ela tire uma boa soneca todos os dias. Ela dorme muito melhor à noite. A diferença é incrível!"

Tina, mãe de Anjali, doze meses

Os bebês diferem em suas necessidades de sono diurno, tanto em duração quanto em número de sonecas — mas a Tabela 4.1 acompanha a maioria dos bebês.

Tabela 4.1 Média da Duração e Número de Sonecas para Bebês

Idade	Número de sonecas	Duração total das sonecas (horas)
4 meses	3	4-6
6 meses	2	3-4
9 meses	2	2 e meia
12 meses	1-2	2-3
2 anos	1	1-2
3 anos	1	1-1 e meia
4 anos	0	0
5 anos	0	0

Quando o Bebê Deve Tirar Sonecas?

O horário das sonecas também é importante. A soneca ao final do dia interfere negativamente no sono noturno. Certos momentos do dia são mais indicados porque desenvolvem melhor o relógio biológico do bebê; esses períodos ótimos equilibram a hora de dormir e de acordar, influenciando o sono noturno da forma mais positiva. Porém, todos os bebês são diferentes, mas geralmente, as melhores horas para as sonecas são:

- Se o bebê tira três sonecas: meio da manhã, início da tarde e início da noite
- Se o bebê tira duas sonecas: meio da manhã e início da tarde
- Se o bebê tira apenas uma soneca: início da tarde

Se você quer que o bebê venha a gostar da soneca, use as diretrizes gerais já descritas e observe seus sinais. As sonecas devem ocorrer *imediatamente* quando ele demonstrar sinais de cansaço. Se esperarmos demais, ele fica *exausto*, "ligado" e incapaz de dormir. Assim que nos familiarizarmos com as necessidades do sono diurno do bebê, podemos planejar essa rotina para dar início ao processo de acalmá-lo. Se sonecas regulares são uma novidade para a mãe, ela precisa concentrar-se mais nos sinais de cansaço do bebê e restringir a rotina até definir um padrão previsível. Ou seja, não comece uma rotina longa antes da soneca se o bebê estiver visivelmente pronto para dormir.

Observe esses sinais de cansaço; o bebê pode apresentar um ou mais.

- Redução na atividade
- Mais calmo
- Perda do interesse nas pessoas e brinquedos
- Esfregar os olhos
- Olhar "vidrado"
- Inquieto
- Bocejos
- Deitar-se no chão ou em uma cadeira
- Afagar o brinquedo de estimação, pedir a chupeta, mamadeira ou o peito da mãe

Esse momento é importantíssimo! Você provavelmente já passou por essa situação: o bebê parece cansado e você pensa, "hora da soneca". Então, lava as mãos e o rosto dele, troca a fralda, atende ao telefone, coloca o cachorro no quintal e dirige-se ao berço, descobrindo que o bebê, subitamente, está acordado e disposto a brincar! O que aconteceu? Ele passou pelo momento de cansaço e recobrou o fôlego, conseguindo uma ou duas horas de estado de alerta antes de retornar ao cansaço. Isso pode acontecer com freqüência ao final do dia. De repente, o bebê está (finalmente!) pronto para uma soneca bem na hora do jantar e a situação se complica — é melhor deixá-lo tirar a soneca e, portanto, adiar a hora do sono noturno, ou mantê-lo acordado e lidar com um bebê cansado e inquieto? Em vez de enfrentar essa provação, reaja antes aos sinais de fadiga e coloque-o no berço para a soneca na hora exata.

Após observar o bebê atentamente, durante cerca de uma semana, somos capazes de criar um horário para o sono diurno que funciona com os períodos de cansaço e disposição, tornando o esquema fácil de seguir.

A Rotina do Sono Diurno

Ao estabelecer o horário do sono diurno do bebê, crie uma rotina simples, mas específica para as sonecas, distinta da rotina noturna. Ela pode apresentar similaridades que sinalizem o sono, por exemplo, a presença de um brinquedo, objeto de estimação ou música especial para induzir o sono. Siga-a todos os dias. (Exceto, como mencionei antes, se o bebê apresentar sinais visíveis de cansaço. Nesse caso, abrevie ou até mesmo elimine a rotina.)

Para o bebê resistente à soneca, a rotina pode incluir alguns movimentos relaxantes (embalar, relaxar em um balanço, caminhar no carrinho) ou música infantil suave.

A rotina de sonecas não precisa ser longa e elaborada para ser eficaz. Se a soneca do bebê ocorre por volta da mesma hora, todos os dias, muitos sinais sutis — como o horário do almoço — vão lhe dizer que a hora da soneca se aproxima.

Depoimento de Mãe

"Nossa rotina de sonecas inclui a leitura de dois livros, depois amamentá-lo e embalar com música suave. É curta, mas funciona."

Amber, mãe de Nathaniel, nove meses

Importante: Se você estiver tentando solucionar o problema do despertar noturno freqüente, faça *qualquer coisa* que funcione para que seu bebê aproveite bem o sono diurno; o bebê bem-descansado responderá melhor às sugestões propostas para o sono noturno.

Transformando a Soneca Curta em Sono Mais Longo

Alguns bebês mostram sinais de cansaço e tiram uma soneca sem maiores problemas, mas depois, cerca de vinte minutos mais tarde, eles acordam. A maioria dos pais aceita essa rotina de sono diurno breve.

Pelo jeito, o que está acontecendo é que o bebê passa pelo ciclo do sono e desperta totalmente quando chega ao primeiro despertar breve. (Lembra-se do Capítulo 2?) O segredo para fazer o bebê que tira sonecas curtas dormir por mais tempo é ajudá-lo a pegar no sono imediatamente. É assim que funciona.

Coloque o bebê para tirar uma soneca. Ajuste um cronômetro ou fique de olho no relógio. Cerca de cinco ou dez minutos *antes* do momento usual em que ele desperta, saia do quarto e ouça atentamente. Assim que o bebê emitir um som, entre rapidamente. Você o encontrará em um estado sonolento, prestes a acordar. Use qualquer técnica que o ajude a adormecer — amamente-o, embale-o ou ofereça-lhe a mamadeira ou chupeta. Se agirmos rapidamente, ele dorme logo. Após uma semana desse procedimento, ele estará dormindo por mais tempo sem qualquer ajuda.

Nathaniel, nove meses

Como Ajudar o Bebê a Dormir Sozinho

Esta sugestão pode ser útil a todos.

Como discutimos no Capítulo 2, todos despertam à noite. Se o bebê acorda a *mãe* freqüentemente durante a noite, o problema *não* é o fato de ele acordar, mas de não conseguir pegar no sono sozinho. Há maneiras de ajudá-lo a sentir-se à vontade e seguro quando acordar para que possa voltar a dormir sem qualquer ajuda.

"Minha Cama É um Lugar Agradável!"

Esta primeira sugestão ajuda o bebê a aprender que o seu bercinho é seguro e confortável.

Passe momentos tranqüilos, carinhosos, durante o dia, no local onde deseja que o bebê durma à noite. Leia, converse, cante e brinque. Faça isso duas ou três vezes ao dia. Se ele reagir de forma positiva, tente fazê-lo interessar-se por um móbile ou brinquedo enquanto você se afasta e senta tranqüilamente ao lado dele, observando-o.

Depoimento de Mãe

"Como você sugeriu, brincamos com Dylan no berço para que ele pudesse se acostumar. Ele tem um móbile bem legal e deixamos que 'brincasse' com ele duas ou três vezes ao dia, o que o ajudou a acostumar-se ao berço. Acho que é por isso que ele está começando a dormir sozinho quando desperta durante a noite."

Alison, mãe de Dylan, cinco meses

Ao seguir essas etapas, o bebê passará a ver o berço como um paraíso seguro, confortável e familiar. Ele encontrará conforto ao despertar ali durante a noite e terá maior facilidade em voltar a dormir. (Esta sugestão é importantíssima, sobretudo se você já tentou deixar o bebê chorar até dormir, pois pode ajudá-lo a eliminar memórias negativas e substituí-las por uma sensação de paz ao estar no berço.)

Diversas Maneiras de Adormecer

Neste momento, talvez o bebê adormeça apenas de uma maneira, como sendo amamentado, embalado ou com a mamadeira. Essa atividade é um sinal poderoso que o bebê associa com o ato de adormecer. É tão poderoso que ele pode acreditar que a única maneira de adormecer é com a presença desse sinal.

Depoimento de Mãe

"Emma sempre adormece mamando no meu peito. De vez em quando, minha irmã cuida dela enquanto meu marido e eu saímos. Sempre que chegamos em casa, ela está acordada, por mais tarde que seja. Minha irmã diz que tenta tudo, mas a danadinha espera por mim. Dois minutos no meu peito e adormece profundamente."

Lorelie, mãe de Emma, seis meses

Se o bebê depende de um determinado sinal para adormecer, podemos ajudá-lo a mudar essa associação e aprender que pode adormecer de outras maneiras.

Se você decidir seguir esta sugestão, criar e seguir rotinas de sono diurno e noturno, como mostrado anteriormente neste capítulo, ajudará muito, mas a etapa final ocorre em diversos lugares.

Em geral, é mais fácil começar este plano com sonecas diurnas antes de lidar com o período da noite. O bebê adormece no carro ou no balanço? Enquanto é embalado, está com a chupeta ou no carrinho? Encontre e utilize formas alternativas para ajudá-lo a tirar uma soneca. Se possível, use dois métodos. Tente deixá-lo à vontade com diversas maneiras de adormecer. Um dia, saia para uma volta de carro. No outro, coloque-o no balanço. No terceiro, embale-o. Depois de agir assim por uma semana, comece a usar "sinais" alternados para deixá-lo sonolento e depois passe-o silenciosamente para o berço.

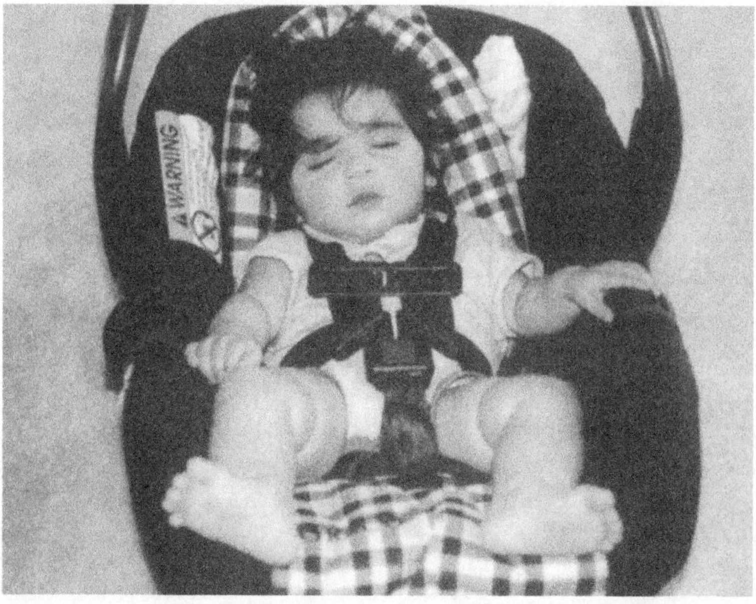

Areesa, oito meses

Neste ponto, fique com o bebê, e toque-o de forma reconfortante. Se a mãe estiver usando a rotina de sono diurno e observando seus sinais, o bebê conseguirá adormecer sem ajuda. Caso contrário, prossiga e use o método que funciona melhor. Afinal de contas, sua meta é que o bebê tire uma soneca.

Depois, podemos aos poucos simplificar a rotina até atingir a forma mais confortável para todos. Assim que o horário do sono diurno estiver definido, e o sono noturno normalizado, pode-se eliminar todos esses métodos alternados para adormecer e usar apenas o mais conveniente.

Apresente ao Bebê um Objeto de Estimação

Esta sugestão pode ser útil a todos.
Alguns bebês se apegam a um cobertor ou brinquedo que se torna o "predileto". É um objeto transitório que o conforta na ausência da mãe. Em alguns casos, podemos ajudá-lo a apegar-se a um objeto de estimação para que ele tenha algo para abraçar e adormecer sem a ajuda materna.

Esse objeto *não* substitui a mãe. Ao contrário, é algo que o bebê pode usar para sentir-se seguro quando a mãe não está por perto. Curiosamente, um de meus filhos, a dorminhoca campeã, Vanessa, descobriu seu próprio objeto de estimação. Como não podia deixar de ser, seu objeto de estimação era uma fronha vermelha chamada Pilly. Ah, eu disse *era*? Aos doze anos de idade, Pilly ainda ocupa lugar de honra no quarto de Vanessa, funcionando não apenas como o objeto de estimação, mas também como a doce lembrança de seus tempos de criança. Angela e David tinham brinquedos favoritos, mas nenhum que qualificasse como "de estimação". Com Cole, consegui incentivá-lo a apegar-se a um "amiguinho". Não foi igual à Vanessa, mas tornou-se um sinalizador da hora de dormir e foi peça útil no plano de sono que criei para ele.

Algumas crianças adotam esse objeto enquanto são bebês e continuam a usá-lo durante a infância. Outras mudam de objeto, de tempos em tempos, ou encontram conforto em qualquer bichinho de pelúcia, enquanto há aquelas que nunca se interessam pela idéia de ter um objeto de estimação. Poderemos dizer a que categoria a criança pertence ao observarmos suas ações.

Escolha um Objeto Seguro

Escolha um brinquedo macio pelo qual o bebê já sente atração ou um bichinho de pelúcia seguro que atenda a estes critérios:

- Ausência de botões no lugar dos olhos ou nariz ou de qualquer parte que possa ser removida
- Ausência de chapéus, roupas ou outras partes de pano que possam ser removidas
- Firme
- Pequeno e fácil para o bebê segurar e manipular

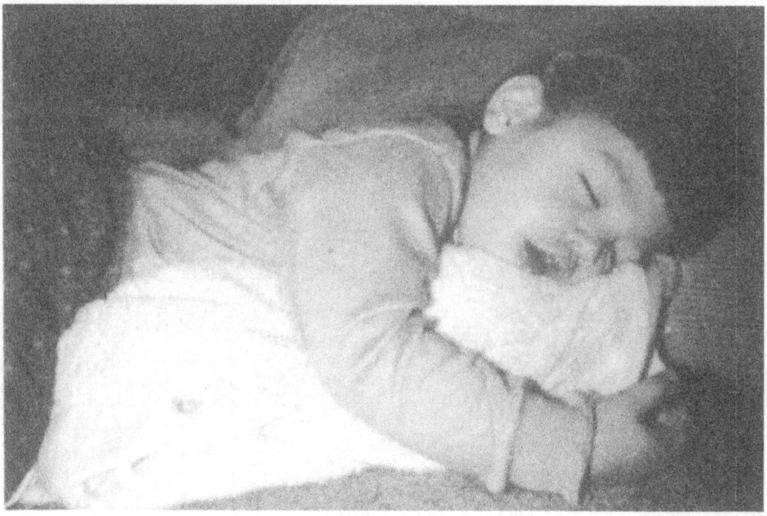

Emily, vinte e quatro meses

O objeto ideal é um bichinho de pelúcia criado especialmente para bebês. Por exemplo, comprei uma bonequinha de feltro para Cole. Depois que se acostumou a tê-la no berço, ele nos informava que estava cansado ao pedir seu "nenê". (Ou nós tentávamos *cansá-lo* fazendo brincadeiras para ele com o "nenê.")

Escolhido o objeto, coloque-o entre você e o bebê sempre que for amamentar, embalar ou dar a mamadeira. Em outros momentos do dia, a mãe pode até "usar" o objeto junto ao corpo, durante algumas horas, para que ele adquira o odor da mamãe (ou papai), pois os bebês podem reconhecer o odor dos pais. A princípio, é melhor usá-lo apenas na hora de dormir para que ele se torne um sinal de sono.

Pode-se introduzir esse objeto de afeto em qualquer idade. Se o bebê é muito novinho, a própria mãe escolhe o brinquedo e avalia a reação do bebê. À medida que o bebê cresce, ele decidirá qual brinquedo o atrai e acalma; isso fica evidente todas as vezes que vemos a criança arrastando um cobertor surrado, um ursinho sem pêlos ou um pedaço da velha camisola da mãe. Quando o bebê chega aos dois anos de idade, pode-se constatar que ele expande a utilidade do objeto, apegando-se a ele sempre que sentir necessidade de segurança extra. Portanto, se você tiver outra opção, direcione seu filho para algo que você deseja ter na família durante os anos que virão.

Como o bebê pode apegar-se muito ao objeto, compre pelo menos dois, para impedir desastres caso ele o perca — ou então escolha um facilmente substituível ou disponível no comércio.

Depoimento de Mãe

"Eu finalmente encontrei um objeto de estimação que Carrson e eu gostássemos. Quando o coloco entre nós ao amamentá-lo, ele brinca e conversa com o objeto. Está se transformando em um amiguinho."

Pia, mãe de Carrson, oito meses

Diferencie o Sono Noturno das Sonecas Diurnas

Esta sugestão pode ser útil a todos.

Ao acordar, o bebê não sabe se é dia ou noite. Portanto, precisamos diferenciar os dois para ele. Podemos ajudá-lo a permanecer sonolento a noite toda ao manter o ambiente silencioso e escuro. Estas são algumas maneiras de tornar o sono noturno especial:

- Quando o bebê acordar à noite, não converse. Sussurre para ele algumas palavras, mas evite a conversa.
- Não acenda luzes. Mesmo uma lâmpada mais fraca pode ativar o relógio biológico do bebê, sinalizando "hora de acordar". (Use uma iluminação mínima se necessário.)
- Movimente-se devagar e em silêncio.
- Coloque fraldas noturnas absorventes no bebê, com bastante loção protetora. Troque a fralda apenas se ele evacuar ou se estiver muito molhada, ou se o bebê quiser trocá-la. Cada troca de fralda despertará o bebê e reforçará o ato de acordar à noite. (Considere a situação assim: quando o bebê estiver dormindo a noite toda, você não levantará para trocar fralda, não é? Além disso, como o bebê acordará menos para mamar no peito ou na mamadeira, a fralda não ficará ensopada.) Se realmente precisar trocá-la, tenha todos os itens necessários organizados e à mão para fazê-lo rapidamente. E use algo aquecido para enxugar o bebê, evitando assim despertá-lo.
- Se há janelas no quarto que permitam a passagem da luz noturna ou diurna, cubra-as com persianas ou cortinas grossas, escuras ou opacas,

ou até mesmo um pedaço provisório de papelão, deixando-as abertas durante o sono diurno.

- Mantenha brinquedos barulhentos fora do quarto. Deixe no berço apenas um bichinho de pelúcia ou o objeto de afeto do bebê. Ao despertar durante a noite, não queremos que o bebê faça qualquer associação com a hora de brincar. Como rotinas e objetos de estimação, a presença de brinquedos é uma dica — mas na hora errada.

Depoimento de Mãe

"Sempre adotei este método simplesmente porque estou cansada demais para trocar fraldas, conversar ou brincar com o bebê à noite. Funciona muito bem. Nos últimos cinco anos com meus quatro filhos, raramente fiquei acordada por longos períodos à noite por causa do bebê. Conheço muita gente que tem esse problema constantemente. Mas, para mim, mesmo com os gêmeos acordando à noite, sinto-me muito mais descansada porque eles logo dormem novamente."

Alice, mãe dos gêmeos Rebecca e Thomas, seis meses

Desenvolva Palavras-Chave como Indicação de Dormir

Esta sugestão pode ser útil a todos.

Pode-se condicionar o bebê a aprender que é hora de dormir quando dizemos determinadas palavras de uma certa maneira. Comece agora, decidindo quais serão essas palavras associadas ao sono. "Ccch", o som padrão que representa silêncio às vezes é útil porque assemelha-se ao som que o bebê ouvia no útero. As palavras-chave podem ser como um sussurro de "Ccch, ccch, está tudo bem, hora de dormir." ou "Vamos dormir, shhh, ccch, vamos dormir." ou "Agora, chega! Hora de dormir!" (Claro que estou brincando, embora eu tenha dito isso a Cole uma noite.) Uma alternativa para as palavras-chave é sussurrar uma melodia relaxante.

Ao escolher as palavras-chave, acostume o bebê a ouvi-las sempre que estiver calmo, tranqüilo e sonolento. Assim que ele se familiarizar com elas, use-as para acalmá-lo na hora de dormir ou se acordar à noite.

Como Apresentar as Palavras-Chave

Nas primeiras semanas, use as palavras-chave apenas quando o bebê estiver prestes a adormecer. A idéia é associá-las ao estado de sonolência. *Não* as utilize quando ele estiver chorando ou inquieto, pois é com *isso* que ele vai associá-las. Por mais engraçado que possa parecer, aprendi isso com minha adestradora de cães! É isso mesmo, *adestradora de cães.* Segundo ela, a maioria das pessoas diz "pare de latir" quando o cão está latindo e, assim ele entende que "pare de latir" é uma ordem para latir! Ela sugere que o comando seja dito quando o cão estiver quieto para que ele associe as palavras ao silêncio. Ouvi algo parecido do palestrante motivacional, Tony Robbins, em uma palestra sobre associação de palavras. Ele sugeriu repetir palavras como "relaxe" quando nos sentimos relaxados para que possamos reproduzir aquele estado em situações estressantes. Portanto, primeiro use as palavras-chave quando o bebê estiver calmo, sonolento. Depois, quando a associação estiver consolidada, poderá utilizá-las para ajudá-lo a se acalmar e a adormecer.

Depoimento de Mãe

"Meu marido, Royce, agora está bastante familiarizado com o uso de nossas palavras-chaves, 'ccch, ccch, hora de nanar', quando coloca Kyra para dormir. Bem, se ele a ouve chorando por meio da babá eletrônica, durante a noite, eu o ouço dizer "ccch, ccch, hora de nanar." Como se Kyra pudesse ouvi-lo do outro lado da parede do quarto! Toda manhã, eu lhe pergunto que idéia foi aquela e ele sinceramente não se lembra de nada."

Leesa, mãe de Kyra, nove meses

Use Música ou Som como Sinais para Dormir

Esta sugestão pode ser útil a todos.

Como complemento para — ou em vez de — a estratégia de palavras-chave, música infantil suave no horário do sono diurno e noturno quando o bebê estiver sonolento pode ajudar. Na verdade, pesquisas recentes indicam que a música suave na hora de dormir faz muitos bebês relaxarem e adormecerem facilmente. Mas, escolha com cuidado. Algumas músicas (incluindo-se jazz e música erudita) são muito complexas e estimulantes. Escolha músicas simples, repetitivas, previsíveis, como as canções de ninar tradicionais. Fitas de áudio criadas especialmente para fazer o bebê dormir são excelente opção. Escolha algo que *você* gostará de ouvir noite após noite. (Usar o toca-fitas com função automática de repetição é útil para manter a música tocando pelo tempo necessário.)

No mercado, há inúmeras fitas que reproduzem os sons da natureza. Elas funcionam muito bem, assim como pequenas caixas de música e relógios. Os sons da natureza (gotas de chuva, riacho murmurante, água corrente) quase sempre assemelham-se aos batimentos cardíacos e fluidos entrando e saindo da placenta, ouvidos pelo bebê no útero. (Lembra-se desses sons quando você ouviu os batimentos cardíacos do bebê com o estetoscópio Doppler?) O tique-taque do relógio ou as borbulhas do aquário também são ótimas opções de sons suaves.

Depoimento de Mãe

"Saí e comprei um pequeno aquário, cujo som repetitivo parece relaxar Chloe, ajudando-a a dormir. Não comprei peixes. Quem tem tempo para cuidar de peixes quando se sente sonolento o dia todo?"

Tanya, mãe de Chloe, treze meses

Podemos encontrar fitas de áudio e CDs produzidos especialmente para bebês, ou alguns próprios para o relaxamento de adultos. Seja qual for a escolha, devemos ouvir primeiro e nos perguntar: "Isso me relaxa? Eu adormeceria se ouvisse isso na cama?".

Se o bebê dorme em um ambiente barulhento, ativo, cheio de gente, a música de fundo ajudará a mascarar barulhos que podem despertá-lo, como o som de louças batendo, conversa, risos, tevê ou latido de cães. Isso também pode ajudar a transição do bebê adormecido, de uma casa barulhenta durante o dia, à qual ele inconscientemente acostumou-se, ao silêncio noturno absoluto.

Assim que o bebê estiver familiarizado com as palavras-chave, sons relaxantes ou música, poderemos usá-los para ajudá-lo a voltar a dormir quando acordar no meio da noite. Basta reconfortá-lo dizendo as palavras-chave ou tocando a música (no volume mínimo). Se ele acordar e chorar, repita o processo.

Se o bebê se acostumar aos sons da hora de dormir, podemos levar a fita de áudio se formos nos ausentar de casa para a sono diurno ou noturno. A familiaridade dos sons vai ajudá-lo a dormir em um ambiente desconhecido.

Com o passar do tempo, o bebê dependerá cada vez menos dessa técnica para adormecer. Podemos auxiliar o processo ao diminuir o volume, gradativamente, noite após noite, até finalmente não mais usarmos a música ou os sons.

Mude a Associação do Bebê com a Hora de Dormir

Esta sugestão pode ser útil aos bebês que mamam na mãe, na mamadeira ou usam a chupeta com freqüência.

O bebê aprendeu a associar o ato de sugar (o seio materno, a mamadeira ou a chupeta) com o ato de dormir. Ouvi inúmeros especialistas em sono referir-se a essa prática como "associação negativa com o sono". Eu e meu bebê não concordamos. É talvez a associação com sono mais positiva, natural e agradável que o bebê pode fazer.

Bebês que Mamam no Peito com Freqüência

O problema com a associação da amamentação para dormir é nossa vida atarefada. Se não tivéssemos quaisquer outras obrigações a não ser cuidar do bebê, seria uma forma agradabilíssima de passar os dias até o bebê superar aquela necessidade. Contudo, no mundo atual, pouquíssimos pais podem se dar ao luxo de deixar de lado as atividades cotidianas e cuidar apenas do bebê. Por isso, apresentarei várias sugestões para que você possa, aos poucos, e *com amor,* ajudar o bebê a aprender a adormecer sem esse recurso maravilhoso e poderoso.

Bebês que Mamam na Mamadeira com Freqüência

O bebê deve desacostumar-se da mamadeira para dormir por diversas razões. Primeiro, quando o bebê adormece com a mamadeira, o líquido pode acumular-se em sua boca enquanto dorme e causar a cárie de mamadeira. (Embora o risco seja menor, isso também pode acontecer com bebês que mamam na mãe e sempre adormecem enquanto são amamentados.)

A segunda preocupação com o uso da mamadeira como recurso na hora de dormir é que o bebê talvez não esteja com fome, mas deseja a sensação de sugar para adormecer. Portanto, ele estará ingerindo mais do que realmente necessita.

A terceira questão é que não há graça alguma em preparar mamadeiras a noite toda quando poderíamos estar dormindo!

Deve-se Usar a Chupeta?

Se o uso da chupeta é positivo ou negativo ainda continua sendo discutido, mas cerca de 50 % dos pais adotam a chupeta para seus bebês porque ajuda a manter o bebê calmo e relaxado. Em geral, considera-se aceitável o uso da chupeta a partir dos três meses e até dois anos de idade. Antes dos três meses, essa prática pode interferir na definição da amamentação e, após os dois anos de idade, pode associar-se a problemas odontológicos ou atraso na fala. Dentro dessa faixa etária média, muitos pais sentem-se à vontade ao deixar o bebê dormir com a chupeta. Se esse é o caso em sua família e se o bebê volta a dormir facilmente com a chupeta, depende de você usá-la como método auto-relaxante.

Depoimento de Mãe

"Ele dorme com seis chupetas, mas isso não me preocupa porque ele dorme a noite toda. Vamos desacostumá-lo com o passar do tempo, mas por enquanto gosto de saber que posso dormir a noite toda."

Jennifer, mãe de Coby, seis meses

Pais nessa situação disseram-me que colocar diversas chupetas no berço e ajudar o bebê a encontrá-las no meio da noite faz com que ele volte a dormir sem qualquer intervenção alheia. (Prefira sempre chupetas seguras, firmes, sem partes soltas, e nunca amarre-as ao bebê ou ao berço.) Se você fizer essa opção, lembre-se de que, embora alguns bebês abandonem a chupeta sozinhos, outros não, e é preciso a intervenção dos pais.

Se você prefere que seu bebê não dependa da chupeta, prossiga a leitura.

Como Reduzir a Associação Sugar para Dormir

Quando o bebê acorda procurando a mamadeira, chupeta ou o peito da mãe, esta provavelmente dá-lhe a chupeta ou o amamenta. O problema é que a forte associação com o ato de dormir feita pelo bebê, provavelmente, não mudará sem a ajuda da mãe. (Veja Capítulo 2)

Para mudar essa associação do bebê com o ato de dormir, é preciso complicar o despertar noturno por uma semana ou até mesmo um mês, mas a longo prazo você conseguirá desacostumar o bebê de usar a chupeta, mamadeira ou o seu peito como a única associação noturna. Ou seja, prepare-se para perturbar suas próprias noites, durante algum tempo, para poder realizar mudanças importantes e valiosas a longo prazo.

O Plano de Desmama Suave de Pantley

Quando o bebê acordar, dê-lhe a chupeta, mamadeira ou amamente-o. Mas, em vez de deixá-lo e voltar para a cama ou permitir que durma enquanto mama no peito, deixe-o sugar por alguns minutos até que esteja relaxado e sonolento. Então, retire a chupeta ou o peito.

Na maioria das vezes, sobretudo no início, o bebê desperta e busca o objeto. Tente, suavemente, manter-lhe a boca fechada, colocando o dedo sob o queixo, ou pressione-lhe o queixo, exatamente abaixo do lábio inferior, ao mesmo tempo em que o embala. (Use as palavras-chave se já as desenvolveu.) Se ele reagir e continuar buscando o peito, a chupeta ou a mamadeira, ou ficar inquieto e choramingar, dê-lhe o peito ou a chupeta, mas repita o processo quantas vezes forem necessárias até ele adormecer.

Qual o intervalo entre as tentativas? Cada bebê é diferente, mas cerca de dez a sessenta segundos geralmente funciona. É preciso também observar a sucção do bebê. Se suga com força e engole regularmente ao ser alimentado, espere alguns minutos até ele reduzir o ritmo. Ao prestar atenção à deglutição do bebê, podemos dizer quando ocorre o reflexo de relaxamento. Podemos então tentar fazer com que o bebê solte a chupeta, peito ou mamadeira naquele momento, mas será preciso interromper o fluxo de leite com a mão ou esperar um minuto até que cesse naturalmente. Em geral, após o período inicial de atividade, o bebê demonstrará um ritmo "menos alvoroçado"; este é um bom momento para começar as tentativas de desmamá-lo.

Talvez sejam necessárias entre duas a cinco (ou mais) tentativas, mas por fim o bebê adormecerá sem a chupeta ou peito. Quando o procedimento tiver ocorrido várias vezes durante alguns dias, perceberemos que a desmama fica mais fácil e ele desperta com menor freqüência.

Depoimento de Mãe

"Nós o chamamos de Grande PPD (Plano Pantley de Desmama). No começo, Joshua sabia o que aconteceria e prendia-se ainda mais ao meu seio — ai! Mas você disse para continuar tentando, e foi o que fiz. Agora ele prevê o PPD e, na verdade, solta meu peito sozinho, vira para o outro lado e dorme! Estou perplexa."

Shannon, mãe de Joshua, dezenove meses

Veja abaixo um esquema do Plano de Desmama Suave de Pantley. (O exemplo mostra um bebê que mama na mãe, mas o plano é o mesmo se o bebê usa mamadeira ou chupeta.)

O bebê está acordado e mama vigorosamente.
O bebê fecha os olhos e a sucção diminui.
Você retira o peito lentamente.
O bebê desperta (movendo a boca aberta em direção ao seio materno).
Você tenta segurar-lhe o queixo, mas ele não quer nem saber!
Você lhe dá o peito novamente.
Conta: mil, dois mil ... dez mil.[1]
Você retira o peito lentamente.
O bebê volta a procurá-lo.
Você tenta distraí-lo, mas sem êxito.
Conta: mil, dois mil ... dez mil.
Você retira o peito lentamente.
O bebê se agita.
Dá-lhe o peito novamente.
Dá-lhe o peito novamente.
Conta: mil, dois mil ... dez mil.
Você retira o peito lentamente.
O bebê se mexe um pouquinho e você mantém-lhe a boca fechada.
Ele não resiste; está quase dormindo.
Você o coloca na cama.
Ele adormece.

---

1. A contagem é mais para você, para que possa mensurar o tempo e, também, uma forma de mantê-la calma durante as várias tentativas. Você pode ser flexível ao descobrir que intervalo de tempo funciona melhor para o seu caso.

Repita esse processo todas as noites até ele aprender que pode adormecer sem o peito, mamadeira ou chupeta. Se o bebê for "bom de soneca", pode-se usar essa técnica também durante o dia.

Se o bebê não dorme bem durante o dia, não se esforce muito em empregar a técnica para as sonecas. Lembre-se de que o bom sono diurno significa melhor sono noturno — e vice-versa. É um círculo vicioso. Assim que o bebê passa a dormir melhor à noite, pode-se trabalhar a técnica durante o dia, embora o sono diurno geralmente melhore quando solucionamos a associação noturna.

O momento mais importante para usar o Plano de Desmama Suave de Pantley é na primeira vez que o bebê adormece à noite. Na maioria das veze, o jeito que o bebê adormece influencia o resto da noite. Suspeito que o motivo seja o efeito da associação com o ato de dormir, que expliquei anteriormente quando discutimos os fatos básicos sobre o sono. Parece que a maneira de o bebê adormecer é como ele espera permanecer a noite toda.

Pelo fato de não querermos choro, esta não é uma solução para apenas um dia. Mas, dentro de dez dias, à medida que desfazemos suavemente essa forte associação com o ato de dormir, veremos uma redução importante no número de vezes que o bebê acorda durante a noite.

Mudar a Rotina

Na maioria das vezes, os pais têm determinada rotina que seguem com os bebês desde o nascimento. A etapa final antes de dormir é, quase sempre, amamentá-lo ou dar-lhe a mamadeira. Alguns bebês, como o meu Cole, podem manter esse padrão e ainda dormir a noite toda. Outros, contudo, precisam alterar a etapa final em sua rotina antes que passem a dormir a noite toda sem precisar de ajuda. O que desejamos fazer é analisar objetivamente nossas etapas finais ao colocar o bebê para dormir e realizar algumas mudanças, se necessário.

Podemos usar massagem, carícias ou a sugestão das palavras-chave (páginas 81-82) para ajudarmos o bebê a voltar a dormir. Com o passar do tempo, as palavras-chave e um afago substituirão a mamadeira ou o peito, e depois estas também desaparecerão e o bebê dormirá por mais tempo. Aqui está o depoimento de uma das mamães do experimento:

Depoimento de Mãe

"Mudei a forma de colocar Carlene para dormir e funcionou! Em vez de amamentá-la até dormir, amamento até ela relaxar e depois deixo que faça o que quiser no quarto, que mantenho na penumbra. Quando ela esfrega os olhos e parece sonolenta, eu a coloco no berço. Antes eu saía do quarto, esperando que adormecesse sozinha, mas ela ficava agitadíssima, forçando-me a voltar. Mas agora faço-lhe companhia. Fico ao lado do berço e a incentivo a dormir. Digo as palavras-chave, 'Ccch, é hora de nanar, feche os olhos, garotinha dorminhoca.' e digo-lhe que pode dormir porque está tudo bem. Afago-lhe a cabeça ou a barriguinha. Ela fecha os olhos imediatamente. E volta a abri-los algumas vezes, mas por fim adormece. Como não a amamento ou embalo, ela adormece sem essas ações. Portanto, quando ameaça acordar durante a transição do ciclo do sono, ela consegue dormir novamente sem a minha ajuda. É uma grande conquista."

Rene, mãe de Carlene, sete meses

Ajude o Bebê a Dormir Novamente Sozinho Enquanto Você Continua Amamentando-o ou Dormindo com ele na Mesma Cama

Esta sugestão pode ser útil aos bebês que mamam na mãe e que dormem com os pais.

Gostaria de dizer que, quando amamentamos ou dormimos com o bebê, constatamos que ele acorda com maior freqüência do que se estivesse no berço em outro quarto. Mas podemos achar que as razões para mantermos o bebê em nossa cama são mais importantes do que a inconveniência de acordar algumas vezes durante a noite. Como você, optei por amamentar e dormir com meus filhos por muitas razões importantes para mim — e agi assim com meus quatro filhos. (Se não foi essa a sua opção, sugiro que leia *Attachment Parenting*, de Katie Granju e Betsy Kennedy, Pocket Books, 1999. É um livro adorável que ajudará você a entender e a aproveitar as opções feitas em relação ao local e à maneira que seu bebê dorme.)

É importante lembrar que "isso também vai passar". Todos os meus filhos, com o decorrer do tempo, dormiam a noite toda e o mesmo acontecerá ao seu bebê. Porém, há maneiras de agilizarmos o processo — mesmo mantendo o pequenino na cama com você.

Verifique se leu a lista de segurança no Capítulo 1. Grande parte do material que li sobre os perigos associados a dormir com o bebê diz respeito a questões de segurança como sendo o problema real. Leia mais sobre o assunto e tome uma decisão consciente, seguindo religiosamente todas as medidas de segurança.

Depoimento de Mãe

"Não estou preparada para tirar Atticus de minha cama. Gosto de tê-lo perto de mim à noite e aconchegá-lo. Eu dormia com minha filha Gracie quando ela era bebê e a transição foi perfeita logo que estávamos prontas. A hora de dormir sempre significou conforto para ela e sei que, no momento certo, a transição ocorrerá também para Atticus. Mesmo assim, seria bom se ele acordasse menos vezes para eu amamentá-lo."

Pam, mãe de Atticus, onze meses, e de Gracie, cinco anos

O desafio no caso de mães que amamentam e dormem com o bebê é que cada um está tão sintonizado com o outro que o menor movimento ou ruído despertará ambos. Os pais acabam acordando mais vezes, além de quando o bebê acorda sozinho, criando assim um padrão de despertar contínuo.

O segredo é acostumar o bebê a dormir ao seu lado, mas capaz de voltar a dormir sem sua ajuda (geralmente a amamentação). Isso pode ser feito reduzindo-se a rotina de ajuda noturna. Sei que é possível porque hoje, meu filho Cole, com dezoito meses de vida — ainda sendo amamentado e dormindo comigo —, dorme dez horas consecutivas toda noite. É o mesmo bebê que alguns meses atrás acordava de hora em hora para que eu o amamentasse. Portanto, sou prova viva de que as mães não precisam abandonar esse ritual adorável para conseguir uma boa noite de sono. Obviamente, nem todos os bebês reagirão como Cole, mas várias mamães em meu experimento amamentam e dormem com o bebê, e muitas constataram êxito sem ter que retirar o bebê de sua cama. Com alguns pequeninos mais resistentes, é necessário mudá-los de quarto antes de abandonarem o luxo de mamarem na mãe à noite, mas tente todas as minhas sugestões, durante algumas semanas, antes de constatar que esse é o caso de seu bebê. (Se concluir que é hora de mudar o bebê de quarto, você encontrará sugestões para uma transição tranqüila, suave, na seção que começa na página 94.)

Quando o bebê acorda, você provavelmente tem determinada rotina para fazê-lo dormir novamente. Para Cole e eu, era amamentá-lo. Eu o amamentava até ele dormir profundamente; o mamilo literalmente caía-lhe da boca. A cada hora, seguíamos exatamente o mesmo padrão. Cole acordava, eu o mudava de lado, beijava-lhe a cabeça, dava-lhe o peito — um ritual bonito, reconfortante. Às vezes, ele acordava e esperava que eu o beijasse e o mudasse de posição. Embora o ritual fosse adorável, após doze meses dessa cerimônia constante, eu precisava mudá-la.

Pare de Amamentar o Bebê Adormecido

Assim como escrever este livro, aprender a quebrar a associação foi um processo gradativo, consciente, que exigiu muito auto-exame. Descobri que respondia a Cole com tanta rapidez e intuição que eu lhe dava o peito antes de ele fazer qualquer ruído real — bastava mexer, resmungar ou fungar e eu já estava a postos. Comecei a perceber que, em muitas dessas ocasiões, ele teria voltado a dormir sem mim.

Como você sabe, sigo à risca a regra de "nunca deixe o bebê chorar". Porém, o que eu não entendia é que os bebês produzem ruídos *enquanto dormem*. E esses ruídos *não* significam que o bebê precisa ser amamentado. Eles gemem, resmungam, fungam, choramingam e até mesmo choram *enquanto dormem*. Podem até mesmo mamar *dormindo*.

O primeiro passo para ajudar o bebê a dormir por mais tempo é determinar a diferença entre sons produzidos durante o sono e quando o bebê está acordado. Quando ele emitir um som, pare, preste atenção, espere, dê uma olhadinha. Ao ouvir atentamente os ruídos e observar o bebê, aprenderemos a diferença entre os sons emitidos durante o sono e aqueles que significam "estou acordando e preciso de você agora".

Depoimento de Mãe

"Ontem à noite, ele estava mamando em mim e eu retirei o peito, colocando o dedo sob seu queixo como você sugeriu. Pensei: 'Isso nunca vai dar certo, ele ficará irritadíssimo!', mas funcionou, ele adormeceu! A outra sugestão também é útil. Quando eu o tiro do peito e mudo de posição, ele acha que estou dormindo e dorme também!"

Carol, mãe de Ben, nove meses

Essas informações chamaram minha atenção e comecei a "fingir que dormia" quando Cole emitia qualquer som à noite. Eu prestava atenção e observava — sem mexer sequer um músculo — até ele começar a emitir ruídos indicando que realmente estava acordado. Às vezes, isso não acontecia — ele simplesmente voltava a dormir!

Reduza a Freqüência Noturna de Amamentação

Talvez você esteja seguindo o mesmo padrão nosso — dar o peito ao bebê e, depois, ambos adormecem. É muito fácil porque amamentar libera hormônios que deixam a mãe sonolenta, assim como o leite deixa o bebê sonolento. O problema é que o bebê adormece profundamente no peito e passa a acreditar que aquela é a única maneira com que ele *consegue* dormir. Portanto, toda vez que ele ameaça acordar, parece recriar a condição que induz ao sono. Podemos ajudá-lo a aprender a dormir sem esse recurso ao reduzirmos os intervalos noturnos de amamentação.

Quando você tem certeza de que o bebê está acordado e querendo mamar, amamente-o por pouco tempo. Fique acordada! E assim que ele reduzir o ritmo de sucção, retire o peito ao mesmo tempo em que o afaga ou embala. (Veja o Plano de Desmama Suave de Pantley descrito nas páginas 86-89)

Às vezes podemos colocar a mão do bebê em nosso seio durante a desmama porque muitos aceitam esse toque como um substituto para a amamentação; parece mantê-lo "conectado" à mãe e ele sabe que o leite está por perto.

Outra opção é assumir uma posição menos confortável e conveniente para o bebê. Portanto, em vez de deitar-se frente a frente com ele em seus braços, vire-se levemente de costas para que ele tenha que se esforçar um pouco para manter o mamilo na boca. Geralmente, ele decide que o esforço não vale a pena. Desiste e volta a dormir.

Se o bebê choramingar em qualquer momento durante o processo de desmama, ou de alguma maneira ele lhe informar que está acordado de verdade (tentando chegar aos seios, por exemplo!), amamente-o. Depois, repita o processo de manter a sessão de amamentação curta e afaste-o do peito antes que ele adormeça profundamente.

Às vezes, são necessárias três a cinco tentativas antes de o bebê finalmente adormecer. Após uma semana utilizando essa técnica com Cole, ele começou a soltar o peito *sozinho*, virando-se de costas para mim e adormecendo! Foi maravilhoso. Talvez apenas a mãe que amamenta e dorme com o bebê possa entender como é adorável vê-lo nessa posição nesse momento. Na verdade, Cole (atualmente com dezoito meses) *ainda* faz isso; ele mama até satisfazer-se, depois afasta-se de mim e adormece. Agora que está dormindo cerca de dez horas por noite, eu o deixo na cama com o irmão David (ver foto na página xiv) e vou para o meu quarto dormir com meu marido — sem bebê.

Mude o Leite de Lugar

Aqui está outra sugestão especialmente para mães que dormem com o bebê. Após amamentá-lo, afaste-se dele. Se o bebê estiver junto a você, ele despertará e desejará mamar com mais freqüência — às vezes, como mencionei anteriormente, até mesmo dormindo. Se o bebê está acostumado a ter a mãe junto de si, pode-se tentar uma substituição palpável. Um bichinho de pelúcia é perfeito. (Veja as páginas 78-80.) Basta colocar o brinquedo ao lado do bebê (longe do rosto) quando a mãe se afasta para que ele sinta o contato.

Para aqueles bebês que insistem em mamar à noite, pode-se até mudar a disposição do quarto, durante algumas semanas, até que a situação fique controlada. Eu coloquei dois colchões no chão do quarto de dormir. Durante o período de mudança, comecei a amamentar Cole em uma cama; assim que ele dormia, eu passava para a outra. Claro, era apenas a um metro e meio de distância, mas longe o bastante para que eu não o despertasse. Se você tiver um berço, pode tentar colocá-lo ao lado da cama. (Sei que já mencionei isso antes, mas não se esqueça de seguir as medidas de segurança se escolher essa opção.)

Depoimento de Mãe

"Finalmente percebi que eu tinha um medo oculto de que se eu a desmamasse à noite isto ocorreria durante o dia também. Eu não queria que isso acontecesse e, portanto, eu a amamentava a qualquer hora do dia ou da noite. Mudei de idéia e agora eu a amamento durante um longo período antes de dormir e pela manhã, em vez de achar que preciso amamentá-la a noite toda."

Becky, mãe de Melissa, treze meses

Contudo, devo dizer que alguns bebês que dormem com a mãe e acordam várias vezes à noite têm "radar de mãe" e continuam a acordar até que os dois durmam em quartos separados. Se você tentar todas as minhas sugestões e constatar que o bebê ainda acorda com freqüência, terá que tomar essa decisão — o que é mais importante agora, dormir com o bebê ou simplesmente dormir? Não posso responder à pergunta por você, e não há resposta certa. É preciso examinar as necessidades de cada família para determinar o caminho a seguir. Mesmo se a decisão for para mudar o bebê de quarto, lembre-se de que, quando ele passar a dormir a noite toda, você poderá deixá-lo dormir novamente em sua cama sem problemas.

Pode-se também usar as palavras-chave para ajudar o bebê a voltar a dormir. (Veja as páginas 81-82)

Assim como a maioria das sugestões deste livro, esta baseia-se na mudança gradativa com o passar do tempo — não há soluções rápidas ou transições dolorosas.

Depoimento de Mãe

"Chloe agora começa a noite no berço e quando acorda eu a coloco na cama conosco. Como dormimos juntas desde o início, estou tão acostumada com sua presença ali que eu 'quero' que acorde e venha para a cama conosco! Sei que parece estranho, mas gostaria que soubesse que o seu programa está ajudando tanto em minha transição quanto na de Chloe."

Tanya, mãe de Chloe, treze meses

Ajude o Bebê a Dormir sem Sua Ajuda e Mude-o para o Próprio Berço

Esta sugestão pode ajudar bebês que dormem com a mãe a passarem para o berço.

Se você mantém o bebê em sua cama em tempo integral ou parcial, um mês ou dois anos, chega o momento em que está pronta para colocá-lo no próprio berço. A seguir, uma lista de sugestões para realizar essa transição. Após analisá-las, formule sua estratégia escolhendo aquelas que melhor se adaptam à situação de sua família.

Alguns pais preferem esperar até que o filho esteja pronto para fazer a mudança sozinho. Não há problema algum; se não há pressa em mudar, então, sem dúvida, os pais devem aproveitar esse momento com o bebê! Deixe o processo ocorrer naturalmente. Essas sugestões não significam que o bebê *tem que* dormir no próprio berço se esse não é o desejo dos pais; porém, elas são apresentadas para aqueles pais que não querem esperar pelo processo natural.

Lembre-se de que, na maioria dos casos, não precisamos realizar essa mudança da noite para o dia. Quase sempre, a maneira mais tranqüila leva algumas semanas ou até alguns meses. Por outro lado, se os pais não têm vontade ou paciência para esperar, *pode-se* fazê-la rapidamente, sem abrir mão da sensibilidade às necessidades do bebê. Qualquer que seja a decisão, lembre-se de que o bebê gosta muito das noites passadas na cama dos pais e, no início, não gostará de dormir sozinho. Tente facilitar ao máximo a transição para ele.

Verifique as sugestões que mais lhe agradam. Reveja-as, analise-as e, depois, crie seu próprio plano para retirar o bebê da cama do casal.

Permaneça Próximo, mas Não Muito

Coloque o bebê para dormir em um colchão no chão, próximo à cama. Se ele acordar para ser amamentado ou quiser colo, mamadeira ou um afago, a mãe ou o pai podem atendê-lo no colchão, fazê-lo dormir novamente e voltar à cama de casal. Dessa forma, o bebê se acostuma a dormir sozinho. Após uma semana dessa prática, mude o colchão para o quarto do bebê. (Os pais também podem dormir no colchão e colocar o bebê na cama de casal.) Siga sempre as medidas de segurança.

Crie uma Cama de Casal em Miniatura

A maioria dos bebês que dormem com os pais dormirão bem *em qualquer lugar* com a mãe ou o pai. Podemos tirar vantagem disso ao trabalharmos para que o bebê durma sem nossa ajuda.

Se o bebê tem mais de dez meses de vida, coloque o colchão no chão do quarto dele. Verifique se o quarto é seguro e siga todas as precauções apresentadas no Capítulo 1.

Use a rotina para dormir, mas em vez de dormir na cama de casal, durma com o bebê no quarto dele. No início, talvez você deseje ficar ali a noite toda para que o bebê se acostume à mudança.

Após algum tempo, você pode dormir em seu próprio quarto depois que o bebê adormecer. Se ele tiver um objeto de estimação ou um bichinho de pelúcia, use-o como seu substituto. Mantenha a babá eletrônica ligada e, quando o bebê acordar durante a noite, vá ao quarto dele imediatamente. Ele perceberá que você nunca está longe e começará a acordar menos à noite.

O Berço Móvel

Se o bebê tem berço e quarto próprios e você gostaria que ele dormisse ali, tente esse método passo a passo. Siga cada etapa de duas noites a uma semana ou mais, dependendo da reação do bebê.

1. Coloque o berço ao lado de sua cama. Você pode abaixar a grade que o separa de sua cama ou removê-la. (Importante: o berço deve ficar bem firme e encostado à cama para não se mover e criar um espaço que possa prender o bebê.)
   Se o bebê sempre dormiu em seus braços, você pode facilitar a transição colocando o seu aroma no lençol do berço, usando-o em sua cama durante algumas noites ou dentro de sua camisola antes da hora de dormir.
2. Quando o bebê estiver à vontade com a nova situação, você pode voltar a grade para o berço e afastá-lo alguns centímetros da cama. O bebê ouvirá sua voz, sentirá seu aroma e a verá, mas um não acordará o outro com os movimentos noturnos e ele começará a sentir-se seguro para dormir sozinho.
3. Coloque o berço do outro lado do quarto, o mais longe possível de sua cama.
4. Passe o berço para o quarto do bebê, mantendo a babá eletrônica ligada para que possa atendê-lo quando acordar. Após utilizar esse procedimento durante algumas noites, ele saberá que você está presente caso ele precise e começará a dormir mais tempo se acordar.

A Maneira Esperta

Deixe o bebê adormecer na cama de casal como sempre. Assim que estiver dormindo profundamente, leve-o para o berço no outro quarto e ligue a babá eletrônica. Se ele acordar, amamente-o em uma cadeira ou leve-o para sua cama, mas, depois que dormir, coloque-o novamente no berço.

O uso dessa técnica implica idas e vindas entre um quarto e outro até a transição se concretizar. Muitos bebês adaptam-se rapidamente e dormem muito mais tempo do que quando estão na cama com outra pessoa, cujos movimentos noturnos podem despertá-lo mais vezes. Podemos até mesmo determinar a hora em que encerraremos a transferência de quartos. Por exemplo, devolva o bebê ao berço até três horas da manhã, e depois mantenha-o em sua cama para que você possa dormir um pouco.

Como todas as minhas sugestões, esta não é uma proposta rígida, invariável. Você pode experimentá-la durante algumas semanas, tornando a mudança mais tranqüila para ambos, você e o bebê. (Obviamente, se quisermos a mudança imediata, *podemos* ser bastante persistentes e passar pela transição rapidamente; isso depende de cada mãe.)

Essa sugestão funciona melhor se pudermos passar alguns momentos agradáveis brincando com o bebê no berço durante o dia, para que se sinta à vontade ali e, quando acordar, à noite, o ambiente não lhe parecerá estranho.

Para a Criança que Fala e Anda

Se o pequenino já tem idade suficiente para entender e dorme em uma cama (em vez do berço), pode-se iniciar a noite colocando-o para dormir no próprio quarto e explicando-lhe o que acontecerá se acordar. Prepare um "lugar de dormir" em seu quarto: um colchão ao lado da cama. Explique ao seu filho que, se ele acordar durante a noite, poderá ir para a caminha especial e dormir novamente. Explique ainda que você e o papai precisam dormir e, por isso, ele deve entrar na pontinha dos pés sem fazer qualquer barulho para não acordá-los. Se ele agir exatamente assim, não se esqueça de elogiá-lo na manhã seguinte.

Ao utilizar essa sugestão, pode ser útil destacar para a criança a importância de ela agora ter seu próprio quarto porque "já é grande". Você pode modificar a decoração do quarto, usar novas cores e objetos, vários bichinhos de pelúcia e acrescentar quaisquer elementos que possam confortar seu filho no meio da noite.

Como parte desse processo, verifique se a rotina da hora de dormir é longa o suficiente para permitir o relaxamento e se inclui atividades agradáveis como a leitura e afagos. A criança deve deitar sentindo-se tranqüila e pronta para dormir, sabendo que poderá ir ao quarto da mãe, se necessário.

Podemos convencer algumas crianças a ficarem na própria cama prometendo-lhes uma recompensa no final da semana. Por exemplo: "Se você dormir em seu quarto a semana toda, poderá dormir com a mamãe e o papai no sábado à noite". Obviamente, como muitas outras sugestões, é preciso analisá-la antes de usá-la. Talvez isso não funcione para você e, até mesmo, apresente resultados opostos, fazendo com que o pequenino queira dormir com os pais toda noite. É uma ótima oportunidade para eu deixar bem claro que você deve levar em conta o comportamento de seu filho e sua situação familiar, mas que pode aproveitar algumas de minhas sugestões e elaborar as suas. Use sua criatividade. Ninguém conhece melhor sua família do que você, e eu tenho conhecimentos sobre o sono — juntas, poderemos ajudar seu bebê a dormir a noite toda!

Crie uma Cama para os Irmãos

Se o bebê tem mais de dezoito meses de vida e se você tem filhos mais velhos que aprovariam a idéia, leve-o para a cama dos irmãos (obviamente seguindo todas as medidas de segurança apresentadas no Capítulo 1).

Utilizamos a sugestão da cama para os irmãos em nossa família e constatamos que nossos filhos gostam muito de dormir juntos. Outros pais adeptos dessa prática concordam que ajuda a reduzir a rivalidade entre irmãos. Acho que os bate-papos e afagos noturnos e matinais aproximam os irmãos.

Essa sugestão pode incluir uma certa "troca de camas". A cada noite, as crianças podem escolher onde gostariam de dormir, revezando-se como anfitrião. Se você usar essa sugestão, constatará que, com o tempo, seus filhos começarão a dormir separadamente — primeiro uma noite, depois duas, e logo estarão na própria cama, sozinhos. (Muitos continuarão a "dividir" o quarto do irmão durante vários anos, mantendo a ligação especial que a situação original criou.)

Ajude o Bebê a Adormecer Novamente com a Ajuda de Outra Pessoa

Esta sugestão pode ser útil aos bebês que mamam e dormem com a mãe. Na maioria dos casos, bebês que mamam e dormem com a mãe acordam porque adoram ter acesso à mamãe a noite toda. Sempre que acordam, eles vêem, ouvem, cheiram e sentem a presença dela, e pensam: "Ahá! Leite quentinho e uma mamãe aconchegante. Oba!". Portanto, se você tem marido, companheiro, mãe ou outra pessoa que esteja disposta e seja capaz de ajudar durante cerca de uma semana, peça-lhe que durma perto do bebê, substituindo-a.

Rebecca, dez meses; Carolyn, três anos; Patrick, cinco anos; Thomas, dez meses

Se o bebê tem menos de dezoito meses de vida, prepare o berço ou colchão ao lado da cama da pessoa que estará ajudando você, porque *apenas* a mãe deve dormir ao lado do pequenino; apenas a mãe tem "instinto materno" que a impede de rolar sobre ele. O bebê deve conhecer bem e sentir-se à vontade com a pessoa escolhida. Se possível, peça-lhe que comece com as sonecas durante o dia.

Quando o bebê despertar, peça à sua ajudante que o embale, caminhe com ele ou cante baixinho — qualquer coisa que o ajude a voltar a dormir. Tente evitar o uso da mamadeira, pois seria como trocar uma "muleta" por outra. Se a sua substituta usar a chupeta para acalmá-lo, lembre-se de que chegará o momento em que você provavelmente terá que retirá-la do bebê. Muitos pais aceitam a situação sem maiores problemas.

Diga à sua ajudante que não é uma "questão de tudo ou nada". Ou seja, se o bebê começar a chorar e ficar inquieto, ou se ela perder a paciência, diga-lhe que poderá levar o bebê até você. E tente novamente na próxima vez que ele acordar. Quando o bebê vier para ficar com você (veja bem, eu disse "quando", não "se"), siga as sugestões na seção intitulada *Ajude o Bebê a Dormir Novamente Sozinho Enquanto Você Continua Amamentando-o ou Dormindo com ele na Mesma Cama*, que inicia na página 89.

Depoimento de Mãe

"Achei praticamente impossível acalmar minha filha e fazê-la dormir novamente sem o peito. Ela ficava agitada e nervosa. Nossa resposta foi mandar o papai ficar com ela quando acordasse. Nas primeiras noites, ela ficou muito irritada porque era o pai, e não a mãe, que vinha socorrê-la. Mas, ao final daquela semana, ela estava completamente apaixonada pelo pai. Meu marido ainda diz que ajudá-la a desmamar à noite (embora na época ele tenha ficado sem dormir) foi uma das maneiras mais importantes para criar vínculos entre ele e sua garotinha. Percebi a intimidade no relacionamento deles imediatamente, e ela ainda existe, embora faça tanto tempo.

Deirdre, mãe de Violet, dezenove meses

Ajude o Bebê a Dormir Novamente no Berço

Esta sugestão pode ser útil aos bebês que dormem no berço.

É provável que todas as vezes que o bebê chora ou a chama durante a noite você faça alguma coisa para ajudá-lo a voltar a dormir. Para que ele durma sem o seu auxílio, é preciso reduzir as rotinas de ajuda durante a noite.

Jared e Jarell, sete meses

Quando o bebê acorda, você provavelmente segue determinada rotina para fazê-lo dormir de novo, como pegá-lo, embalá-lo, amamentá-lo e dar-lhe a mamadeira ou a chupeta. Como mostramos no Capítulo 2, o bebê acha que *precisa* dessa rotina para voltar a adormecer. Não queremos ser drásticos e cortar o padrão familiar e positivo já estabelecido; é a maneira certa de causar estresse e lágrimas. Porém, modifique aos poucos a *duração* de sua ajuda a cada noite. Por fim, o bebê desenvolverá uma nova rotina que não exige sua presença.

Quando o bebê acordar, prossiga com o método usual para fazê-lo dormir novamente, mas *reduza a duração* e *varie a técnica* aos poucos. Portanto, em vez de deixá-lo adormecer completamente, deixe-o ficar sonolento e depois veja se ele adormece sozinho. Se ele chorar, repita o processo. Talvez sejam necessárias três, quatro ou mais tentativas nas primeiras noites; e dependendo da situação em determinadas noites, até você mesma desiste. Durante uma ou duas semanas, você constatará mudanças, as quais serão avaliadas quando você preencher as planilhas de dez dias.

Suas noites agora são assim:

- O bebê acorda.
- Você o carrega; senta-se em uma cadeira; embala-o, dá-lhe o peito, a mamadeira ou leva-o para a cama de casal até que adormeça profundamente.
- Depois, você o coloca no berço sem acordá-lo, lenta e cuidadosamente.
- Sai do quarto e espera a próxima chamada.

Se for utilizar essa sugestão e se o bebê usa chupeta, mamadeira ou é amamentado todas as vezes que acorda à noite, então você poderá experimentar o Plano de Desmama Suave de Pantley (páginas 86-89) junto com as sugestões que apresento a seguir.

Constatei que muitas mães aprendem que devem responder ao bebê imediatamente e nunca deixá-lo chorar. Há um problema aqui. Os "especialistas" esquecem de dizer que os bebês emitem sons *enquanto dormem*. Eles gemem, resmungam, fungam, choramingam e até mesmo choram *dormindo*. Na maioria das vezes, a mãe corre ao primeiro ruído, retirando o bebê do berço. Eu agi assim com minha primogênita há catorze anos e ainda me lembro de que, às vezes, ela dormia em meus braços antes de eu chegar à cadeira de balanço. O que eu não sabia é que ela nem mesmo tinha acordado.

Depoimento de Mãe

"Ontem à noite, quando ouvi Lauren, apenas esperei e prestei atenção em vez de correr até seu berço. Estou perplexa. Duas vezes, quando cheguei ao corredor para vê-la, ela já dormia novamente."

Christine, mãe de Lauren, treze meses

O primeiro passo para ajudar o bebê a dormir mais tempo é determinar a diferença entre sons que ele emite acordado e dormindo. Não estou sugerindo que você ignore o choro do bebê; ele pode precisar de você e essa é a única forma de ele comunicar sua necessidade. Na verdade, quando esperamos muito e ele desperta totalmente — chorando e gritando — ele terá mais dificuldade em voltar a dormir. Ao invés disso, mantenha as portas dos quartos abertas ou use a babá eletrônica. Quando ele fizer barulho, pare. Preste atenção. Espere. Ao ouvir atentamente, você aprenderá a diferença entre os sons que ele emite dormindo e os outros, que significam "estou acordando e preciso de você agora".

O exemplo a seguir mostra a duração e tipo de ajuda noturna sendo reduzidas. Não é de forma alguma um plano exato, o seu próprio método talvez seja bem diferente, mas o objetivo é que você entenda o conceito:

Fase Um: Conforte o Bebê até Que ele Esteja Quase Adormecido

Ao determinar que o bebê, de fato, acordou, pegue-o. Sente-se na cadeira de balanço, embale-o, amamente-o ou dê-lhe a mamadeira, mas apenas até ele fechar os olhos, a sucção diminuir e ele começar a adormecer. Tente não esperar até ele dormir completamente. Levante-se e embale-o suavemente. Ao colocá-lo no berço, mantenha os braços em torno dele durante alguns minutos, embalando-o levemente. Ele aceitará a mudança do colo para o berço se esta for suave. Lembre-se de que, quando o bebê dorme com a mãe, ela se mexe e respira, ao passo que a cama é imóvel e silenciosa. Portanto, movimentos suaves ajudam na transição. Assim que ele parecer dormir profundamente, retire os braços. Se ele se mexer, afague-o, sussurre as palavras-chave ou ligue a música suave até que ele durma novamente. Se ele acordar e chorar, repita o processo. Talvez seja necessário fazer isso duas, três, quatro, cinco vezes, mas, é *normal*. Se você ou o bebê se irritarem em determinado momento, faça-o dormir como de costume e abandone o plano naquele instante. Com o decorrer do tempo, ele vai se sentir mais à vontade com a nova rotina e dormirá sem problemas. Ele ainda dependerá de você para ajudá-lo, mas como termina de adormecer no berço, ficará mais fácil conseguir dormir sozinho quando acordar novamente.

Lembre-se, você está efetuando uma mudança. Pode levar algum tempo para que ela funcione, mas é melhor do que passar um ou dois anos sem dormir!

Ao perceber que a nova rotina funciona, passe à Fase Dois.

Depoimento de Mãe

"A primeira noite em que tentei o 'Jeito Pantley', funcionou perfeitamente. Tive que retirá-lo do berço quatro vezes, mas então resmungou um pouquinho. Afaguei-lhe as costas e usei as palavras-chave — ele nunca chorou — e voltou a dormir até quase 5 da manhã. Foi outro sucesso, porque geralmente ele dormia até 3 ou 3h30. Fazê-lo dormir após despertar tão cedo é outra batalha que estamos enfrentando. Eu sei — paciência e passos de bebê!"

Kim, mãe de Mathieau, treze meses

Fase Dois: O Bebê Está Calmo e Sonolento

Sente-se e embale-o, amamente-o ou dê-lhe a mamadeira até ele ficar *calmo* e *sonolento*, mas não *adormecido*. Coloque a música ou sons que indicam a hora de dormir. Coloque-o no berço, afague-o e diga as palavras-chave até ele adormecer. Se acordar e chorar, repita esse processo. Siga o método usual se ele ficar irritado. Como na Fase Um, ele vai se acostumar à nova rotina e dormirá. (Sim, repeti a sugestão; é importante que a mãe tenha permissão para interromper o processo em determinada noite, se não funcionar. Mesmo assim, haverá melhoras no decorrer do tempo.)

Passe à Fase Três quando a nova rotina estiver estabelecida.

Fase Três: Conforte-o sem Retirá-lo do Berço

Ao ouvir o bebê acordando, vá ao berço, mas tente não pegá-lo; ligue a música ou os sons usuais, afague-o ou coloque os braços em torno dele, até voltar a dormir. Diga as palavras-chave. Se ele acordar ou chorar, volte à Fase Dois ou Um, mas seja breve. Repita o processo.

Passe então à Fase Quatro.

Depoimento de Mãe

"Tivemos êxito na Fase Um e Dois, mas a Fase Três parecia impossível. Porém, continuamos tentando e, quando eu estava prestes a desistir, surpresa! Uma bela noite ela voltou a dormir sem que eu a retirasse do berço! Aquele foi o ponto crucial. Nunca chegamos à Fase Quatro porque uma semana depois ela parou de acordar à noite."

Heidi, mãe de Elise, dez meses

Fase Quatro: Afagos Reconfortantes

Vá imediatamente ao berço, mas não pegue o bebê. Coloque a música ou os sons usuais, afague-o, fique ao lado do berço e diga as palavras-chave. Se ele acordar ou chorar, volte à Fase Três ou Dois, mas seja breve. Repita o processo.

Passe então à Fase Cinco.

Fase Cinco: Acalme o Bebê Verbalmente

Vá imediatamente ao quarto do bebê, mas fique à porta. Veja se precisa colocar a música. Diga as palavras-chave. Se ele acordar ou chorar, volte às fases anteriores e repita este processo.

Passe então à Fase Seis.

Fase Seis: Conforte-o Fora do Quarto

Vá imediatamente ao quarto do bebê, mas fique *de fora,* onde ele não possa vê-la e diga as palavras-chave. Repita as sugestões anteriores, caso ele acorde ou chore.

A idéia é dar passos pequenos e gradativos em direção à meta final. Esse exemplo não deve ser aplicado para todos os bebês; ao contrário, é apenas uma demonstração da idéia. É preciso examinar os próprios rituais da hora de dormir e modificá-los aos poucos até que a meta seja alcançada.

Lembre-se de que as fases não são rígidas ou inflexíveis. Observe o seu bebê. Faça o que o seu coração pedir. Modifique o plano e seja flexível durante as etapas. Se você trabalhar gradativamente para atingir sua meta, que é o bebê dormir a noite toda sem a sua presença, chegará lá.

Escreva um Bestseller para a Família

Esta sugestão pode ser útil aos pais de bebês com mais de dezoito meses. O bebê agora entende mais sobre a vida. Provavelmente já começou a aprender as palavras *por favor* e *obrigado* e consegue seguir instruções simples como "Por favor, coloque isto na estante". A maioria dos bebês nessa idade gosta de livros, sobretudo aqueles com gravuras de bebês de verdade. Ler livros sobre o sono para seu filho na hora de dormir pode ser útil. Constatei que a maioria apresenta uma rotina previsível, comum para a hora de dormir: brincar, tomar banho, colocar o pijama, ouvir histórias, mamar, ir para a cama. Ver que outras crianças vão dormir da mesma maneira pode ajudar seu filho também.

Esse é o momento perfeito para criar o livro — álbum do bebê. Essa idéia me ajudou muito e, aos poucos, desmamei meu filho David aos dois anos e meio de idade. Ela pode ainda ser utilizada para outras mudanças, como por exemplo, dormir a noite toda.

Use cartolina. O livro deve ser grande — formato A4, sulfite, ou maior. Use fita adesiva para unir as páginas quando estiverem prontas.

Apresento aqui dois tipos de livros. Escolha o que mais lhe agradar ou faça ambos!

Livro Um: Meu Livro de Dormir

Recorte gravuras de bebês em revistas ou jornais. Tente encontrar gravuras relacionadas ao ato de dormir, como bebê no berço, na banheira etc. Recorte também gravuras de objetos que façam parte da rotina noturna: livros de gravuras, escova de dente, pijamas.

Use essas figuras para criar um livro que demonstre sua rotina noturna exata, passo a passo. Escreva uma história que combine com as ilustrações em cada página.

Leia o livro toda noite antes de dar início à rotina da hora de dormir.

Livro Dois: Álbum do Bebê

O título do livro pode ser o nome do bebê. Ele representará a história da vida de seu filho, com enfoque na hora de dormir (ou na alimentação se a sugestão for usada para desmamar o bebê). Pode-se usá-la também para desacostumar o bebê da chupeta, ou ainda para ajudá-lo a adaptar-se a qualquer mudança importante em sua vida, como a chegada de um irmãozinho ou o divórcio dos pais.

Reúna fotos do bebê desde o nascimento. Comece com a foto dele recém-nascido e conclua com aquelas mostrando ações e objetos da rotina noturna. Fotos do bebê sendo amamentado, com a mamadeira, chupeta, de pijama, lendo um livro, deitado no berço e dormindo são as mais apropriadas. Se possível, tire fotos do bebê durante cada etapa da rotina noturna atual — inclusive várias em que ele esteja profundamente adormecido, e até mesmo com a mãe ou o pai sorridentes, olhando-o dormir.

Cada página terá uma foto do bebê com as respectivas explicações. O final do álbum mostrará sua *meta* para o sono, amamentação ou uso da chupeta. Ou seja, ele representará os resultados que você deseja.

Esse álbum será personalizado para a família. A seguir, alguns trechos do livro que criei para David oito anos atrás.

> (Foto de recém-nascido: eu amamentando David) David acabou de nascer e é muito amado pela mamãe e pelo papai, que estão felizes com seu nascimento. David adora mamar o leite da mamãe.
>
> (Foto aos seis meses: Angela dando-lhe a mamadeira) David está crescendo e já consegue engatinhar. Adora brincar com Angela e Vanessa. Ele ainda gosta de ser amamentado e agora gosta da mamadeira também, sobretudo quando Angela ou Vanessa o ajudam.

(Foto aos onze meses: David andando) David está crescendo muito! Já pode andar e jogar bola. Pode comer comida de verdade e adora leite achocolatado. Ela ainda gosta do leite da mamãe e da mamadeira também.

Continue com as várias etapas na vida do bebê. Não inclua muitas páginas para não ficar longo e o bebê perder o interesse, porque a conclusão é, afinal de contas, o objetivo do livro.

A última parte do livro apresentará as metas da hora de dormir e do sono (ou desmama), esboçados com clareza e objetividade. Aqui está nosso final:

(Foto do segundo aniversário) Feliz aniversário, David! Você é mocinho agora. Pode correr, brincar e tomar sorvete. Pode brincar no escorregador e levar o cãozinho para passear. Mocinhos como David fazem um lanche e depois vão dormir. Não precisam mais do leite da mamãe — precisam apenas que ela lhes dê muitos abraços e afagos! Mamãe e David se abraçam na hora de dormir e depois os dois dormem a noite toda.

(Foto aos dois anos de idade: David dormindo) Mamãe e David se abraçam pela manhã quando o sol nasce. Todos podem abraçar e brincar com David pela manhã. Parabéns, David! Você já é mocinho.

(Fotos de todos com David)

Leia o livro toda noite. (Talvez o bebê goste tanto do álbum que desejará vê-lo durante o dia também — sem problemas!) Comente as fotos e o que você escreveu. Ajude o pequenino a fazer as coisas que constam do livro.

Depois de criar esse livro, lemos e conversamos sobre ele. David adorava! Após alguns meses, ele desmamou. O processo foi simples e tranqüilo para nós dois.

Faça um Pôster da Hora de Dormir

Esta sugestão pode ser útil aos pais de bebês com mais de vinte meses de idade.

A maioria das crianças pequenas adora rotina. Gostam quando as mesmas coisas acontecem todos os dias. Isso pode ser frustrante para você quando seu horário entra em conflito com a rotina do sono diurno da criança.

Você talvez esteja envolvida nas tarefas diárias, mas o bebê está pronto para dormir, tornando-se irritado e teimoso. Podemos tirar vantagem da preferência do bebê pela rotina quando o assunto é criar um ritual saudável para a hora de dormir.

Já discutimos a importância da rotina noturna para todos os bebês. Visto que o seu é mais velho, ele poderá participar do processo. A maneira mais eficaz é criar um pôster sobre a hora de dormir:

- Pegue uma folha de cartolina grande.
- Reúna canetinhas e lápis de cor.
- Siga as instruções para obtenção de fotos e gravuras da seção anterior.
- Use as gravuras e canetinhas para criar um pôster divertido e colorido que mostre claramente as etapas para a hora de dormir.
- Pendure o pôster na porta do quarto do bebê para que ele o veja.
- Ajude-o a seguir o quadro toda noite, perguntando-lhe: "E depois?".
- Elogie-o por seguir os passos ("Bom trabalho!").

Aqui está um exemplo:

O Pôster da Hora de Dormir de Joey

1. Vestir o pijama.
2. Lanchar.
3. Escovar os dentes.
4. Ler três livros.
5. Beber água.
6. Ir ao banheiro.
7. Ligar a luminária de ursinho.
8. Beijos, abraços e massagem nas costas.
9. Joey vai dormir.
10. Mamãe e papai vão dormir.

Para muitas crianças, o pôster proporciona a coerência e a rotina que lhes facilitará dormir toda noite.

Se o seu filho acorda à noite chorando por querer você, poderá acrescentar ao pôster seu jeito preferido de lidar com o problema. Por exemplo:

- Quando Jenna acorda, ela vai para o seu cantinho de dormir no quarto do papai e da mamãe — caladinha para não acordá-los.

Ou outro exemplo:

- Quando Lily acorda à noite e está escuro, ela pode ir ao banheiro, beber água e abraçar o ursinho de pelúcia. Quando Lily acorda e está claro, ela pode ir para a cama junto com a mamãe e o papai.

Esse momento é perfeito para você decidir exatamente o que espera de seu filho e colocar tudo no papel. Depois, ajude o pequenino a seguir as etapas — mesmo durante a noite: "Lembra-se do pôster da hora de dormir? É isso que precisa fazer agora".

Se seu bebê assemelha-se a um ioiô que gosta de levantar após a rotina, pedir água, abraço ou qualquer outra coisa, poderá acrescentar esta etapa ao pôster para ajudar a eliminar esse processo irritante:

- Alexander tem dois cartões e, depois que for para a cama, poderá ir ao banheiro, beber água, pedir beijo ou abraço duas vezes. Quando os cartões acabarem, é hora de ficar na cama e dormir.

Esses "cartões" são simples pedaços de papel. Ao final da rotina, entregue-os à criança. Ela terá que lhe dar um cartão cada vez que sair da cama. O número de cartões dependerá do número atual de vezes que ela se levanta após ter se deitado, menos alguns. Ou seja, se normalmente ela sai da cama cinco ou seis vezes, comece com quatro cartões. Após uma semana, reduza para três, depois dois e, por fim, apenas um. Pode-se ainda deixar que a criança entregue os cartões não utilizados pela manhã, em troca de uma pequena recompensa.

Lembre-se sempre de elogiá-la por seguir a rotina da hora de dormir.

Tenha Paciência

Esta idéia pode ser útil a todos.

Uma característica que observei entre muitas mães, participantes de meu experimento, foi a incrível vontade de obter resultados, que é perfeitamente compreensível! Mas paciência, segundo o velho ditado, é uma virtude. Algumas mães não conseguiram esperar dez dias para registrar o êxito nas planilhas e, por isso, registravam o padrão de sono do bebê noite após noite, esperando ver mudanças diárias e sentindo-se frustradas quando o sucesso não parecia evidente. Ironicamente, essa pressão para obter melhorias diárias apenas nos mantém acordadas à noite. A planilha tem tempo e lugar. Preencha uma a cada dez dias para ver o que progrediu, mas não antes desse período. Da mesma maneira, não fique olhando o relógio a noite toda. Siga seu plano e, quando menos esperar, você e o bebê estarão dormindo.

5

Crie Seu Plano de Sono

Para passar à próxima etapa, você estudou as sugestões apresentadas no Capítulo 4 e observou aquelas que lhe pareciam razoáveis. Agora pode organizar seu plano e começar o caminho para dormir melhor!

Transfira as sugestões que você escolheu para a seção seguinte de maneira que reúna todas as suas idéias em um só lugar. Se for mãe de um recém-nascido, o formulário adequado está a seguir. Se o bebê tem mais de quatro meses, o respectivo formulário está na página 111. Ao criar seu plano pessoal, você pode copiar as páginas e colocá-las em lugar de destaque, como a porta da geladeira ou o espelho do banheiro. Elas agirão como lembretes diários das soluções que você está pondo em prática. Durante o processo, vale a pena reler o livro se precisar revisar as etapas ou sugestões.

Portanto, vamos começar! Use os formulários a seguir para criar seu próprio plano de sono.

Plano de Sono para o Meu Recém-nascido

☐ Aprenderei mais sobre bebês e confiarei em meus conhecimentos.

- O(s) livro(s) que lerei agora é(são): ____________________

  ____

  ____

  ____

  ____

  ____

  ____

Retirado do livro *Soluções para Noites Sem Choro,* de Elizabeth Pantley.

- ☐ Colocarei o bebê para dormir mais vezes no berço, moisés ou na cama.
- • Deixarei que o bebê durma nos meus braços em momentos especiais.
- ☐ Retiro o bebê sonolento (e não adormecido) do peito e ajudo-o a dormir sem que tenha algo na boca.
- • Evitarei criar a associação entre sugar e adormecer.
- ☐ Aprenderei a diferença entre os sons que o bebê faz quando dorme e quando está acordado.
- • Deixarei o bebê adormecido dormir!
- ☐ Vou diferenciar o sono noturno dos cochilos diurnos.
- • Manterei o ambiente noturno silencioso, escuro e tranqüilo.
- ☐ Não permitirei que os cochilos diurnos sejam muito longos.
- • O cochilo mais longo será de____.
- ☐ Observarei os sinais de cansaço.
- • Observarei se o bebê acalmou-se, perdeu o interesse, tem o olhar vidrado, está irritado, bocejando e o colocarei para dormir ao notar esses sinais.
- ☐ Deixarei o ambiente onde o bebê dorme aconchegante e confortável.
- ☐ Ficarei à vontade para a amamentação noturna e aceitarei esta etapa da vida do bebê.
- ☐ Alimentarei o bebê antes de ele dormir.
- ☐ Desfrutarei de sessões tranqüilas de amamentação durante o dia.
- • Isto é o que devo fazer. Relaxar e curtir meu bebê.
- ☐ Simplificarei minha vida.
- • O bebê é minha prioridade agora.
- ☐ Minhas expectativas serão realistas.
- • Meu bebê desenvolverá maturidade para dormir durante os próximos meses. Conseguirei ter paciência até lá.

Retirado do livro *Soluções para Noites Sem Choro*, de Elizabeth Pantley.

Plano de Sono para o Meu Bebê (Quatro Meses a Dois Anos de Idade)

☐ Vou me preparar.

- Meu bebê tem idade suficiente para dormir a noite toda sem meus cuidados. Ele é biologicamente capaz disso e muitos bebês conseguem. Será bom para ele e para mim. Comprometo-me a agir esta noite para ajudá-lo a dormir melhor. Não quero que ele chore e, por isso, estou disposta a ser paciente e fazer mudanças a cada dia. Logo, nós dois estaremos dormindo a noite toda.

☐ Vou preparar meu bebê.

- Meu bebê é saudável.
- Ele se alimenta bem durante o dia.
- O lugar onde ele dorme é convidativo e confortável.

☐ Seguirei uma rotina para a hora de dormir.

- Esta é nossa rotina noturna:

Hora aproximada	Atividade

☐ Definirei uma hora para dormir mais cedo.

- O novo horário de dormir do meu bebê é____________________ .
- Começamos nossa rotina para dormir às____________________ .

☐ Seguirei uma rotina diurna flexível, porém previsível.

Retirado do livro *Soluções para Noites Sem Choro*, de Elizabeth Pantley.

- Este é um esquema provisório de nosso cotidiano (anote a hora planejada de acordar, cochilos, horário de refeições, hora de dormir e tudo que ajude a organizar o seu dia):

Hora aproximada	Atividade

☐ Cuidarei para que meu bebê tire cochilos regulares.

- Os horários dos cochilos do bebê são:____________________.
- Observarei o bebê atentamente para notar sinais de cansaço: redução da atividade, perda do interesse, esfregar os olhos, olhar vidrado, irritação, bocejos; e o colocarei para tirar um cochilo.
- As maneiras que usarei para encorajar os cochilos são:____.

☐ Ajudarei o bebê a aprender a adormecer sem ajuda: (Sugestão Um)

- Reservarei, diariamente, alguns momentos tranqüilos para brincar com o bebê no berço.

☐ Ajudarei o bebê a aprender a adormecer sem ajuda: (Sugestão Dois).

- Incentivarei o bebê a adormecer durante o dia nestes lugares e das seguintes maneiras:____.

☐ Usarei um objeto de estimação.

- Manterei esse objeto conosco quando estivermos aconchegados e quando colocá-lo para dormir.

Retirado do livro *Soluções para Noites Sem Choro*, de Elizabeth Pantley.

☐ Vou diferenciar o sono noturno dos cochilos diurnos.

- Manterei o ambiente noturno silencioso, escuro e tranqüilo.

☐ Desenvolverei palavras-chave que sinalizem a hora de dormir.

- Nossas palavras-chave são:________________________________.

☐ Usarei música ou sons que sinalizem a hora de dormir.

- Nossa música/sons noturnos são:________________________________
____
____.

☐ Mudarei a associação que meu bebê faz para dormir.

- Usarei o Plano Suave de Desmama de Pantley sempre que possível.
- Outras coisas que farei:________________________________
____
____
____.

☐ Ajudarei o bebê a voltar a dormir mesmo dormindo junto comigo.

- Não responderei imediatamente; vou esperar pelos verdadeiros "sons emitidos pelo bebê acordado".
- Reduzirei a duração de minha rotina noturna de ajuda (amamentar, embalar, dar a mamadeira ou chupeta).
- Usarei o plano suave de desmama sempre que possível.
- Vou me afastar do bebê depois que ele adormecer.
- Tentarei usar as palavras-chave e afagá-lo para dormir.

☐ Ajudarei o bebê a voltar a dormir e o levarei para o berço.

- Estas são as coisas que faremos:________________________________
____
____
____.

☐ Pedirei ao meu companheiro que ajude o bebê a voltar a dormir.

Retirado do livro *Soluções para Noites Sem Choro*, de Elizabeth Pantley.

- Faremos o seguinte:____
____
____.

- Minha ajudante cuidará do bebê quando ele acordar, fazendo o seguinte:____
____
____.

- Minha ajudante levará o bebê para mim se ele e/ou a ajudante ficarem irritados, e então eu farei o seguinte:______________________________
____
____.

☐ Ajudarei meu bebê a voltar a dormir passo a passo.

☐ Este é meu plano para reduzir a duração e o tipo de minha rotina noturna de ajuda nestas etapas:

Fase Um____
____
____.

Fase Dois____
____
____.

Fase Três____
____
____.

Fase Quatro____
____
____.

Fase Cinco____
____
____.

Fase Seis____
____
____.

- ☐ Escreverei um livro sobre a hora de dormir e o lerei para o bebê toda a noite.
- ☐ Criarei um pôster sobre a hora de dormir, mostrando nossa rotina, e o seguirei todas as noites.
- ☐ Serei paciente, coerente e, logo, todos nós estaremos dormindo.

- *Terei* bom resultado se for persistente, coerente e paciente. Basta relaxar, seguir meu plano e preencher a planilha a cada dez dias. Depois, analisarei meu êxito e farei as revisões necessárias no plano. Logo, eu e meu bebê estaremos dormindo.

Retirado do livro *Soluções para Noites Sem Choro,* de Elizabeth Pantley.

6

Siga o Plano por Dez Dias

Agora que você criou seu próprio plano de sono, é hora de começar oficialmente o processo e ajudar o bebê a dormir a noite toda. A rapidez do êxito dependerá de persistência ao seguir o plano. Sugiro que faça do sono do bebê a prioridade da família durante um ou dois meses. Isso significa evitar sair nos horários definidos para o sono diurno, durante a rotina noturna planejada e a hora de dormir.

Sei que é um desafio. Com três filhos mais velhos em casa, às vezes temos a impressão de viver na estrada. Entre eventos escolares e sociais, atividades esportivas e festas de aniversário, sempre temos um compromisso. Quando trabalhei nas rotinas noturnas de Cole, organizava nossos dias em torno de seus horários de dormir sempre que possível. Tirei proveito de amigos que tinham carro, solicitei favores, pedi ajuda à vovó e fiz todo o possível para que Cole estivesse em casa para dormir durante o dia e à noite. Quando ele começou a dormir mais de dez horas por noite e tirar um cochilo regular de duas horas durante o dia, consegui relaxar e ser mais flexível. Assim que seu sono se regularizou, conseguimos estender os horários durante uma ou duas horas e ele adormecia assim que chegávamos em casa ou acordava mais tarde na manhã seguinte. Da mesma maneira, você não ficará presa aos horários de dormir do seu bebê para sempre, mas quanto mais regular for o seu cotidiano agora, mais rápido será o êxito desejado.

E Se Você Não Conseguir Fazer Tudo?

Talvez você comece motivada a seguir o plano à risca e depois seus esforços vão por água abaixo. Doença, férias, visitas e dentição são apenas alguns exemplos. Quando você percebe, está desistindo no meio da noite e odiando-se pela manhã por ter abandonado o plano. É frustrante quando isso ocorre. Mas preste atenção: mesmo se seguir apenas parte do plano e não conseguir ser 100% coerente, você ainda obterá melhoras no padrão do sono do bebê. Mesmo poucas mudanças na rotina e hábitos podem trazer de volta o sono. E, quando a situação acalmar, o passo inicial já terá sido dado e você poderá concentrar-se em seu plano e fazer o bebê dormir a noite toda.

Matthew, onze meses, e Mike

A Estrada para o Sucesso É como Dançar

A maioria constatará que obter o sucesso no padrão do sono não é uma estrada reta, fácil, mesmo se o plano for seguido à risca. Ao contrário, veremos que é mais parecido com o ato de dançar: Dois passos à frente, um para trás e até mesmo alguns escorregões de vez em quando.

Vivenciei isso com Cole. Tínhamos tido nossa melhor noite até então: ele adormeceu sozinho e *dormiu* durante sete horas. Fiquei emocionada! Um degrau a mais na escada do sucesso! Mas alegria de pobre dura pouco... Na noite seguinte, ele nem mesmo tentou dormir sozinho; mamava praticamente o tempo todo e ficou agitado entre uma mamada e outra. Depois, acordou várias vezes, choramingando, "Mamã, mamã", até eu amamentá-lo novamente. Percebi esse mesmo padrão com várias mães participando do meu experimento. Eu recebia uma mensagem de correio eletrônico repleta de alegria e um ou dois dias depois outra mensagem da mãe desesperada perguntando: "O que aconteceu? Ela ficou acordada a noite toda!".

Isso mesmo, o que acontece? As variáveis são ilimitadas. O bebê adoece, *você* adoece, a dentição incomoda, ele não dormiu durante o dia, começou a engatinhar, tomou vacina, você tem hóspedes ou é lua cheia. Às vezes, conseguimos detectar o motivo, ou apenas ficamos ali, coçando a cabeça, querendo saber por que o bebê teve uma noite tão difícil. E então, na noite seguinte, ele dorme como nunca. Apenas mais uma prova de que os bebês são completamente imprevisíveis.

A boa notícia é que, ao seguir meu plano para dormir, essa dança complicada acaba exatamente onde você quer chegar. É por isso que as planilhas de dez dias que recomendo são tão importantes. Quando temos prova concreta do sucesso, durante o período de dez dias, podemos conviver com esses "escorregões" irritantes.

Talvez depois de vinte, trinta ou mesmo sessenta dias você conseguirá o que considera uma boa noite de sono — mas, na situação geral, alguns meses passam num piscar de olhos. Este é outro presente que recebi de meus quatro filhos: perspectiva. Tenho uma filha de catorze anos de idade. Eu sei que a infância passa rapidamente. Depressa *demais* como você logo verá. Parece que foi ontem que carreguei Angela recém-nascida, mas o que vejo agora é uma jovem adorável, aluna do ensino médio, que usa minhas roupas e brincos, uma pessoa com opiniões definidas e lutando por sua independência.

Portanto, é isso aí. Boa sorte com seu plano para dormir e tenha (logo) bons sonhos!

7

Elabore uma Planilha de Dez Dias

Agora que você seguiu o plano, no mínimo, durante dez dias, é hora de preparar outro conjunto de planilhas, analisar o sucesso e realizar as mudanças necessárias ao plano. Na verdade, este é o procedimento a seguir a cada dez dias (Capítulos 9 e 10), até atingir os resultados desejados.

Dez não é um número mágico — não há problema algum em usar outro intervalo de tempo mais coerente com sua situação. Contudo, sugiro que espere, *no mínimo*, dez dias entre as planilhas para dar a você e ao bebê tempo suficiente para se adaptarem às mudanças na rotina. Se a freqüência das planilhas for inferior a dez dias, o resultado é a frustração por focarmos demais no desejo de dormir e de sucesso rápido (como subir na balança todos os dias quando fazemos dieta).

Usando os formulários a seguir, crie as planilhas. Leia as instruções e responda às perguntas. Leia as informações nas seções após cada planilha e no capítulo seguinte, que tratará da análise das planilhas.

Planilha de Cochilos para Dez Dias

Nome do bebê:____

Idade:____

Data:____

Há quantos dias segue o plano? _______________________

Hora que o bebê adormeceu	Como o bebê adormeceu	Onde o bebê adormeceu	Onde o bebê dormiu	Por quanto tempo

1. Reveja a Tabela 2.1, na página 20:
   Quantas sonecas o bebê **deveria** tirar?_______________________
   Quantas sonecas o bebê tira **agora**?_______________________
   Quantas horas o bebê **deveria** dormir durante o dia?_______________
   Quantas horas o bebê dorme durante o dia **agora**?_______________
2. Você tem uma rotina formal para os cochilos diurnos?_______________
3. Está observando os sinais de sonolência e colocando o bebê para tirar um cochilo assim que percebe que ele está cansado?_______________
4. A hora/duração das sonecas do bebê é constante todos os dias?_________

Planilha da Rotina Noturna para Dez Dias (antes de dormir)

Nome do bebê:____

Idade:____

Data:____

Há quantos dias segue o plano?___________________________________

Legenda:
Atividade: intensa, moderada ou calma
Barulho: intenso, moderado ou silêncio
Iluminação: intensa, penumbra ou escuridão

Hora	O que fizemos	Nível de atividade	Nível de barulho	Nível de iluminação

1. Nos últimos dez dias, aproximadamente, quantos dias você seguiu a rotina noturna formal?____
2. A hora antes de ir para cama é tranqüila, silenciosa e com pouca iluminação?____
3. Sua rotina noturna ajuda você e o bebê a relaxarem, preparando-o para dormir?____
4. A rotina noturna é coerente, indicando ao bebê que é hora de dormir?____
5. Você considera sua rotina noturna relaxante e prazerosa?__________________

Planilha do Despertar Noturno para Dez Dias

Nome do bebê:______________________________

Idade:______________________________

Data:______________________________

Há quantos dias segue o plano?____________________

Hora	Como o bebê me acordou	Quanto tempo acordado; o que fizemos	Quando o bebê voltou a dormir	Como o bebê voltou a dormir	Quanto tempo ele dormiu

Hora em que adormeceu:____________________
Hora em que acordou:____________________
Número total de vezes que despertou durante a noite:__________
Período de sono mais longo:____________________
Total de horas de sono:____________________

8

Analise Seu Sucesso

É hora de analisar o que aconteceu desde que começou a seguir seu plano para dormir. Também é o momento de ajustar o plano e executar as mudanças necessárias para ajudar o bebê a dormir melhor. Como não podemos nos reunir, tomar um cafezinho e conversar sobre seu bebê, criei este capítulo para ajudá-la a entender que partes do plano estão funcionando e quais precisam de alterações. Comece utilizando as informações das planilhas no Capítulo 7 para preencher o quadro comparativo a seguir. Preencha os horários de ambas as planilhas e o que mudou:

	Primeira planilha	Dez dias	O que mudou
Número de cochilos			
Duração dos cochilos			
Hora de dormir: hora em que adormeceu			
Hora que acordou			
Número de vezes que despertou durante a noite			
Período de sono mais longo			
Total de horas de sono			

Agora, reserve alguns momentos para responder às perguntas que ajudarão você a analisar seus esforços. Se possível, discuta as informações com o cônjuge, companheiro ou outra mãe que também esteja trabalhando no plano de sono. Pode até mesmo criar com outras mães um grupo de apoio — pessoalmente, por correio eletrônico ou lista de discussão. O apoio de outros pais passando pela mesma situação pode ser útil e esclarecedor.

Avalie o Seu Plano de Sono

Durante os últimos dez dias, até que ponto você seguiu o plano à risca?

☐ Segui à risca todas as partes do plano durante dez dias.

☐ Segui algumas partes do plano, mas não tudo.

☐ Comecei muito bem, mas retomei os antigos hábitos.

☐ Plano? Que plano? (Epa! é melhor voltar ao primeiro passo!)

Você constatou mudanças positivas em pelo menos uma área? (Por exemplo: aumento de quinze minutos na duração do sono noturno ou diurno; a hora de dormir foi antecipada; redução no número de vezes em que o bebê acorda à noite.)______________________________

Quais áreas apresentam mais mudanças?____________________
____
____
____

Por quê? (O que você fez para influenciar o resultado?)__________
____
____
____

Quais áreas apresentam menos mudanças?___________________
____
____
____

Por quê? (O que você fez para influenciar o resultado?)____________

O que você aprendeu sobre os hábitos de dormir do bebê nos últimos dez dias?____________

Quais partes do plano parecem influenciar melhor o sono do bebê?______

Quais mudanças você considera necessárias agora?____________

Como fará essas mudanças?____________

As próximas seções dividem-se em três partes. Encontre aquela que representa o seu nível de sucesso e leia as informações. A leitura das demais seções pode, ainda, dar-lhe mais idéias e compreensão. Escolha entre as seguintes opções:

Se o Bebê Já Dorme a Noite Toda (Cinco Horas Consecutivas ou Mais)

Parabéns! Fico emocionada que você tenha alcançado tanto sucesso em tão pouco tempo. Acredito que você agora tem mais energia e sente-se mais feliz, embora a melhora tenha acontecido há apenas alguns dias. É incrível como algumas horas de sono podem melhorar tanto nossa vida!

Precisamos analisar algumas questões agora que você já constatou um certo sucesso. Primeiro, isto é apenas o começo! Como o bebê já consegue dormir mais de cinco horas consecutivas, você provavelmente verá este período de tempo aumentar aos poucos a cada noite. Você pode ajudar se continuar seguindo o plano.

É importante não abandoná-lo porque o padrão de sono do bebê acabou de mudar. Se você retomar os velhos hábitos, o mesmo acontecerá com o bebê e, depois de tanto trabalho, seria frustrante. Permaneça com o plano por enquanto (pelo menos durante algumas semanas) para ter certeza de que as mudanças estão "consolidadas".

Lembre-se de que o padrão de sono do bebê varia. Não desanime se em determinada noite, ou semana, ocorrerem perturbações. Tudo pode afetar o sono do bebê: dentição, doença, férias, hóspedes, vacinas ou simples alterações no cotidiano. Siga o plano à risca e, nos próximos meses, você verá o sono do bebê estabilizar-se, sendo cada vez menos influenciado por perturbações do dia a dia.

Poderemos constatar que, com o bebê dormindo por mais tempo, a mãe continua acordando nos intervalos. Isso seria o fim da picada! Se for o seu caso, você encontrará inúmeras sugestões no Capítulo 11.

Se você amamenta, essa redução súbita no número de vezes que o bebê desperta à noite pode lhe causar um certo desconforto por causa do excesso de leite. Veja algumas soluções nas páginas 169-171.

Orgulhe-se do bebê e de si mesma! Vocês conseguiram!

Se Você Constatou *Algum Êxito*

Parabéns! Mesmo se o bebê não está dormindo a noite *toda,* tenho certeza de que você se sente muito melhor em relação ao sono dele — e ao seu! Reserve alguns momentos para refletir sobre o que aconteceu desde que começou a utilizar o plano de sono. Determine quais sugestões parecem funcionar melhor e continue com elas. Decida se há sugestões que não funcionam e modifique-as ou abandone-as completamente. Ao fazer isso, prossiga com o novo plano por mais dez dias; faça outra planilha e análise.

Leia a próxima seção para determinar se há problemas ocultos impedindo o sucesso mais rápido.

Se Você Não Viu Nenhuma Mudança Positiva

Gostaria de poder lhe dar um abraço. Sei que está se sentindo frustrada, mas não desanime. Inúmeras mães participantes de meu experimento não viram nenhuma mudança no início, mas, assim que avaliaram o que tinha ocorrido, revisaram as sugestões e modificaram suas ações, elas começaram a ver melhorias significativas. Tentarei ajudá-la a descobrir por que o plano ainda não está funcionando em seu caso.

Vamos começar considerando os possíveis problemas que podem impedir o sucesso.

Você Seguiu as Etapas?

Este livro é elaborado com simplicidade e apresenta o método, passo a passo, em ordem específica e bem-definida. Será que, em seu desespero para dormir, você deixou de ler informações importantes? Por exemplo, o Capítulo 2 explica como o bebê dorme; sem essas informações, não entenderemos a lógica por trás de cada sugestão. Talvez você tenha realizado mudanças personalizadas e, sem querer, anulou o objetivo da sugestão. Seria aconselhável você reler as primeiras partes deste livro e recomeçar. Não desanime. Muitos pais tiveram que reiniciar o plano e alcançaram tremendo sucesso. O mesmo acontecerá com você também.

Se perceber que pulou etapas, volte ao início e releia tudo. Aprimore seu plano e, juntas, faremos o bebê dormir!

Você Escolheu o Plano Certo?

É possível que você tenha escolhido as etapas erradas em seu plano. Releia o Capítulo 2 e avalie se selecionou as sugestões mais adequadas para você e seu bebê. Ao descobrir que plano deveria seguir, renove seu compromisso.

Até agora você convivia com as interrupções no sono sem compreendê-las. Agora que possui novos conhecimentos sobre o sono do bebê, você conseguirá enxergar claramente o que o impede de dormir. Ao identificar os obstáculos, poderá prosseguir com um plano bem-sucedido.

Você É Paciente?

Eu sei. Você está cansada e quer dormir. Esta noite.

Respire fundo. Você vai conseguir e não demora muito. Se você der destaque ao que está errado e não ao que está certo, apenas conseguirá se sentir cada vez pior, como aconteceu a esta mãe ansiosa que participou de meu experimento:

Depoimento de Mãe

"É surpreendente (e deprimente) ver a regularidade em seu padrão de acordar à noite — ela acorda a cada 2,15 horas. Acho o processo de dormir muito mais frustrante agora que estou **tentando** consertá-lo. Era psicologicamente mais fácil para mim quando eu desisti e aceitei o fato de ela acordar à noite constantemente."

Kelly, mãe de Savannah, dezoito meses

Provavelmente, você ouviu falar sobre os "resultados surpreendentes em dois dias" que alguém obteve com o programa de deixar o bebê chorar até dormir e você esperava o mesmo tipo de mudança rápida para o seu bebê — sem o choro, é claro. Porém, dez dias já se passaram e você não viu mudança alguma. Pelo jeito, a situação está pior do que antes.

Lembre-se de que quando nos encontramos pela primeira vez — na Introdução — eu lhe prometi que faria seu bebê dormir a noite toda. Não prometi milagres. Além disso, é provável que os problemas com o sono sejam mais frustrantes para você, agora que está tentando solucioná-los. Até hoje, era mais fácil dar uma de avestruz, enterrando a cabeça na areia — sem disposição para reconhecer o número real de vezes em que o bebê acordava à noite, ou na influência negativa desta situação em sua vida como um todo. Agora que você está trabalhando para que o bebê durma mais, o foco é nesta parte de sua vida e, portanto, você fica muito mais consciente da própria necessidade de dormir.

Tenho certeza de que o seu bebê não é tão diferente dos outros que alcançaram sucesso com esse método. Reserve alguns momentos, reveja todas as sugestões e analise o seu plano de sono. Aposto que os próximos dez dias deixarão você mais perto dos resultados desejados.

Você Está se Dedicando Totalmente ao Plano?

Alguns pais começam o plano com certa indiferença e esperam ver mudanças milagrosas. Eles analisam as sugestões, escolhem uma ou duas que parecem fáceis e rápidas, e dez dias depois não constatam qualquer mudança no padrão de sono do bebê. Apenas quando se comprometem *de fato* com o plano é que conseguem alcançar êxito. Apenas você pode determinar se criou um plano significativo, empenhou-se de verdade e o seguiu à risca.

Depoimento de Mãe

"Percebi que estávamos seguindo o plano apenas em parte. Acho que esperávamos mudanças mágicas. Meu marido e eu conversamos hoje e concordamos: 'Chega de seguir as sugestões casualmente'. Hoje resolvemos levar o método a sério".

Neela, mãe de Abhishek, dezoito meses

Você Alcançou Sucesso, Mas Não Percebeu?

Talvez você esteja buscando sucesso absoluto — aquelas oito horas consecutivas sem acordar — e não vê que o bebê *está* dormindo melhor do que antes. Talvez tenha anotado na planilha que ele acordou duas vezes a mais e, por isso, sente-se decepcionada. Mas espere! Se o bebê dormiu mais horas no total, então o número de vezes em que ele acordou não representa más notícias! Ou seja, acordar seis vezes durante dez horas é um resultado excelente em relação a cinco vezes em oito horas. Ou talvez a hora de dormir do bebê seja uma hora antes do que costumava ser. Ou talvez você demora apenas vinte minutos para fazê-lo dormir em vez de uma hora. Ou cada vez que ele desperta à noite demora apenas alguns minutos, muito menos do que antes. Reveja as planilhas e compare-as. Você está obtendo sucesso, mas não percebeu?

Depoimento de Mãe

"Algumas vezes, enviava-lhe a planilha por correio eletrônico sentindo-me um verdadeiro fracasso, mas você respondia e nos dava parabéns pelo progresso. Seus comentários me faziam analisar as planilhas detalhadamente e eu via que coisas boas estavam mesmo acontecendo!"

Christine, mãe de Emily, dezoito meses

Você Enfrentou Contratempos ou Situações Incomuns?

Se os problemas com o plano de sono envolvem dentição, doença, férias, ou qualquer outro contratempo na rotina doméstica, você achará o progresso mais lento do que se nada disso tivesse interferido no sono diurno e noturno do bebê.

Depoimento de Mãe

"Quando dei início ao plano, tudo ia bem. Mas basta-me pensar que estamos progredindo e tudo dá errado. Primeiro as festas de fim de ano, depois o resfriado forte. Agora é a dentição e ele voltou a acordar a cada duas ou três horas. Acho que nesse intervalo ele teve um estirão de crescimento também. Hoje de manhã, eu lhe disse que iria vendê-lo aos vizinhos e nós dois demos boas gargalhadas."

Susan, mãe de Luke, dez meses

A vida de quem tem filhos não é fácil! Se alguma vez sentiu tédio na vida antes de ter filhos, este novo ser apagou essa palavra de seu vocabulário. Contratempos são inevitáveis no desenrolar do plano, mas continue. Apesar de todas as interrupções, *pode-se* progredir. E, quando a situação volta ao normal, você provavelmente verá que o sucesso está muito próximo.

Persistência e regularidade são o segredo. Faça o melhor possível para continuar com o plano apesar dos contratempos. Mesmo se não conseguir cumprir cada etapa, aquelas que forem seguidas trarão mudanças positivas. Em geral, quando a vida volta ao normal, o mesmo ocorre com o padrão de sono do bebê. Aqui está o depoimento da mesma mãe algumas semanas depois:

Depoimento de Mãe

"Finalmente os dentes nasceram, o resfriado cedeu e ele está se sentindo melhor. Aqui está a planilha da noite passada — de volta ao normal! Foi a primeira vez em três semanas que Luke dormiu mais de seis horas consecutivas. Não tenho palavras para expressar minha alegria. Acho que jamais o venderei aos vizinhos."

Susan, mãe de Luke, dez meses

Há Questões Clínicas ou de Desenvolvimento Interferindo no Sono do Bebê?

Talvez os hábitos e rotinas não sejam as únicas causas da incapacidade que o bebê tem de dormir. Talvez os pais desconheçam algum problema clínico ou de desenvolvimento que impede o bebê de dormir bem. É sempre aconselhável conversar com o médico quando temos dúvidas em relação à saúde do bebê. Aqui estão alguns dos problemas mais comuns que mantêm os bebês acordados à noite.

Dentição

É um motivo comum que impede o bebê de dormir. Pense na última vez em que você teve dor de dente, cefaléia, dor nas costas, torcicolo. Desconfortos podem perturbar nossa capacidade de dormir. Os bebês não conseguem nos dizer qual é o problema; apenas choram ou se irritam. Quase sempre esse comportamento começa muito antes de o dente nascer. Por isso, é difícil dizer se a dentição é o fator responsável pela inquietação do bebê.

Sintomas de Dentição

Os bebês podem começar o processo de dentição já aos três meses de idade. Os sintomas típicos são:

- Dificuldade para dormir
- Inquietação
- Baba
- Coriza
- Erupção no queixo ou ao redor da boca
- Morder
- Bochechas vermelhas
- Rejeitar o peito ou a mamadeira
- Maior necessidade de sugar
- Gengivas inchadas, pálidas

Alguns pais contam que estado febril, diarréia, vômito ou irritação causada pela fralda acompanham processo de dentição, mas, como esses sintomas também podem indicar infecção ou virose, o médico deve ser sempre informado.

Como Ajudar o Bebê a Sentir-se Melhor

Se há suspeita de que o problema é a dentição, as seguintes intervenções podem aliviar o desconforto, relaxando-o o suficiente para dormir:

- Dê-lhe um tecido limpo e fresco para morder.
- Deixe-o morder um objeto apropriado que tenha sido resfriado na geladeira (não congelado) ou tenha a temperatura ambiente.
- Seque-lhe o queixo com freqüência e suavemente.
- Ofereça-lhe água gelada.
- Massageie-lhe as gengivas com o dedo limpo e molhado.
- Use uma escova de dente própria para bebês para limpar as gengivas.
- Passe uma loção a base de petrolato ou pomada suave sobre o queixo, na região da baba.
- Dê-lhe o peito com freqüência, tanto para confortá-lo quanto para nutri-lo.

Pomadas para alívio da dor da dentição disponíveis, sem receita médica, podem ser fortes (coloque um pouquinho no lábio e você notará a sensação de formigamento). Portanto, use-as com moderação e apenas com aprovação do médico.

Ansiedade de Separação

Com o passar do tempo, o bebê começa a conscientizar-se da "separação" da mãe. Ele vive no presente e tem um senso limitado de tempo e memória. Portanto, quando a mãe o deixa, ele fica imaginando onde ela foi e teme que ela não volte. Isso se chama ansiedade de separação. Segundo o Dr. Avi Sadeh, em *Sleeping Like a Baby* (Yale University Press, 2001):

> A ansiedade de separação é uma das causas principais de distúrbios do sono na primeira infância.
>
> O aumento na freqüência de distúrbios do sono durante o primeiro ano de vida talvez esteja ligado ao surgimento da ansiedade de separação, uma ocorrência normal do desenvolvimento nessa idade.
>
> Uma mudança como a volta da mãe ao trabalho após a licença-maternidade, uma nova babá, a transição para a creche ou qualquer alteração que signifique separação e uma readaptação é quase sempre demonstrada imediatamente na forma de distúrbio significativo do sono.

O Dr. Sadeh explica que mesmo a separação temporária, como a mãe ir ao hospital para dar à luz ou passar a noite fora por algum motivo, pode ter grande impacto sobre o padrão de sono do bebê. Suas pesquisas mostraram que, em geral, mesmo após a separação, os bebês acordavam mais vezes, choravam com mais freqüência e passavam menos tempo dormindo.

Muitos pais acham que, quando o bebê começa a engatinhar e andar, a ansiedade de separação aumenta. Isso ocorre porque o bebê aprende que pode se afastar da mãe — e vice-versa.

Ajuda para a Ansiedade de Separação

Quando ela ocorre, é importante que o bebê saiba que a mãe, ou o responsável por cuidar dele, está sempre por perto. Aqui estão algumas maneiras de enviar essa mensagem ao pequenino:

- Aumentar os cuidados diurnos com o bebê, dando-lhe mais abraços e afagos.
- Seguir uma rotina tranqüila e coerente na hora que antecede a hora de dormir.
- Manter uma fotografia grande da mamãe e do papai perto do berço do bebê.
- Quando ele acordar, não sair sem que ele veja. Sempre diga *tchau* ou boa-noite ao sair.
- Demonstrar confiança e alegria ao deixá-lo, em vez de insegurança e medo. Responder rapidamente aos chamados ou ao choro do bebê à noite, mesmo que seja apenas para dizer "estou aqui, está tudo bem".
- Ajude seu filho a desenvolver uma ligação com um objeto favorito (veja as páginas 78-80) para que ele tenha algo para abraçar quando você não estiver por perto.
- Durante o dia, afaste-se do bebê periodicamente e vá a outro cômodo enquanto canta ou assobia para que ele saiba que, embora não possa vê-la, você ainda está por perto.

Marcos do Desenvolvimento e Estirões de Crescimento

É comum o bebê que está aprendendo uma nova aptidão de desenvolvimento despertar no meio da noite com a necessidade súbita de praticá-la. Geralmente é uma perturbação passageira do sono e costuma desaparecer assim que ele passa a dominar a nova aptidão.

Da mesma maneira, o bebê pode repentinamente começar a comer mais, dormir menos e ficar com as roupas pequenas demais antes mesmo de retirarmos a etiqueta de preço.

Depoimento de Mãe

"Percebi que meus bebês, nos primeiros dias após aprenderem a fazer algo novo, como engatinhar ou ficar em pé, dormiam mal. Quando acordavam no meio da noite, logo queriam praticar o novo 'truque'. Se eu não estivesse tão cansada, seria divertido ver Thomas ou Rebecca acordarem e imediatamente começar a engatinhar ou ficar em pé! Depois de algum tempo, parecem se acostumar às novas aptidões e voltam a dormir melhor."

Alice, mãe dos gêmeos Rebecca e Thomas, seis meses

Trata-se de um estirão de crescimento e o bebê cresce o tempo todo — dia e noite.

O segredo para lidar com esse tipo de despertar noturno é ajudar o bebê a deitar-se novamente e se acalmar no menor tempo possível. Na maioria das vezes, usar as palavras-chave e afagá-lo ajudam porque geralmente o bebê nem mesmo despertou totalmente.

Depoimento de Mãe

"Nunca me ocorreu que as novas aptidões de Kyra a deixavam inquieta à noite. Toda manhã, nas últimas duas semanas, eu a encontrei em pé no berço antes de o sol nascer. Agora que você mencionou isso, percebi que ela tentava ficar em pé durante o dia, servindo-se de qualquer apoio que encontrasse, nas mesmas duas semanas!"

Leesa, mãe de Kyra, nove meses

Desconforto e Doenças Comuns: Resfriados, Febre, Vacinas

Assim como o adulto, o bebê que não se sente bem não dorme bem. Contudo, ao contrário do adulto, o bebê não sabe por que não se sente bem e nem o que fazer. Nesse caso, faça o possível para lhe dar um certo bem-estar. Relaxe um pouco o plano de sono durante alguns dias.

Aqui estão algumas sugestões que podem ajudar o bebê a se sentir melhor:

- **Deixe-o descansar.** Deixe de lado as tarefas do cotidiano, não receba hóspedes nem faça nada que perturbe a recuperação do bebê. Isso também ajuda *você* a ficar tranqüila e calma para que possa ajudá-lo melhor.
- **Dê-lhe muito líquido.** Seja qual for a doença, o bebê se sente melhor se estiver bem-hidratado. Se você o amamenta, faça-o freqüentemente. Se ele já usa mamadeira ou copo, dê-lhe bastante leite materno, suco, água ou o leite que ele costuma tomar. Para bebês maiores, acrescente sopa, picolé e outros.
- **Carinho e afagos.** Talvez você tenha que deixar todas as suas obrigações de lado por alguns dias. Quanto mais você tenta trabalhar quando o bebê está doente, mais agitado ele fica.
- **Limpe o nariz do bebê para que ele respire melhor.** Siga as instruções do pediatra.
- **Mantenha a umidade no ambiente.** Enquanto o bebê dorme, use um vaporizador ou umidificador.
- **Incentive-o a dormir o máximo possível.** Faça o que funciona melhor para ajudá-lo a dormir durante o dia e à noite.
- **Entre em contato com o pediatra sempre que o bebê estiver doente.**

Gases e Cólica

Todos os bebês têm gases, mas alguns sofrem mais para liberá-los de seu organismo. O bebê pode engolir ar ao mamar ou chorar, resultando em sensação desconfortável de sentir-se cheio, com gases ou mesmo dores estomacais.

Você talvez já ouviu o termo cólica aplicado a qualquer bebê que chora muito. Contudo, nem todo bebê chora porque tem cólica — mas o contrário é verdadeiro. Embora pesquisadores ainda desconheçam a causa exata, a maioria acredita que a cólica está relacionada à imaturidade do sistema digestivo do bebê. Outros acham também que o sistema nervoso imaturo do bebê e sua incapacidade de lidar com estímulos sensoriais constantes podem causar problemas ao final do dia. Seja qual for a razão, é uma das condições mais irritantes que os pais novatos enfrentam. Os sintomas incluem:

- Um período regular de choro inconsolável, geralmente no final do dia
- Acessos de choro que duram entre uma e três horas ou mais
- A faixa etária varia de três semanas a quatro meses
- O bebê é saudável e alegre em outros períodos do dia

Não É Culpa Sua

Visto que a cólica ocorre quando o bebê é bem novinho, pais novatos acham que estão fazendo algo errado para causar a situação. Sua vulnerabilidade e falta de experiência os leva a questionar a própria capacidade de cuidar do bebê. Se você é o tipo de mãe que não acredita em deixar o bebê chorar até dormir, sei que ouvi-lo chorando por ter cólica lhe parece muito doloroso, como o foi para mim quando vivenciei o problema com meus filhos.

Embora tenha cuidado de todos os meus bebês da mesma maneira, apenas um dos quatro teve cólica. Foi uma experiência terrível, mas aprendi muito sobre mim e o bebê durante o processo. Gostaria de tranqüilizá-la com minha experiência pessoal, minhas pesquisas e discussões com outros pais. *Não é culpa sua.* Qualquer bebê pode ter cólica. O bom é que, quando o bebê chega aos três ou quatro meses de idade, a cólica desaparece como num passe de mágica, tornando-se apenas uma lembrança.

O Que Fazer em Caso de Cólica

Não há tratamento simples, eficaz. Graças a sua experiência, pais e profissionais são capazes de oferecer sugestões para ajudar o bebê nesse período. Experimente tudo desta lista até encontrar a melhor solução para o seu bebê. Lembre-se de que não há cura mágica, e nada conseguirá eliminar a cólica completamente até que o organismo do bebê se desenvolva e amadureça. Até lá, faça o possível para ajudar a acalmar o bebê — e a si mesma.

- Se o bebê mama na mãe, ofereça-lhe o peito sempre que necessário para acalmá-lo.
- Se você o amamenta, evite ingerir alimentos que possam causar gases no bebê como laticínios, cafeína, repolho, brócolis e outras verduras.
- Se o bebê usa mamadeira, ofereça leite com menos freqüência; experimente outros tipos de leite em pó.
- Experimente vários tipos de mamadeiras e bicos que impeçam o bebê de engolir ar ao mamar.
- Mantenha o bebê mais ereto para mamar e depois da mamada.
- Ele deve se alimentar em ambiente calmo.
- Ofereça-lhe a chupeta, caso ele esteja acostumado.
- Coloque o bebê para arrotar com mais freqüência.
- Invista em um canguru[1] e use-o durante os períodos de cólica.

---

1. Dispositivo para carregar o bebê e que fica preso nas costas ou na parte da frente do corpo de quem o carrega.

- Use o carrinho para passear com o bebê dentro de casa.
- Dê-lhe banho morno.
- Coloque uma toalha aquecida ou a bolsa de água quente enrolada em um pano sobre a barriga do bebê (a temperatura deve ser morna e não quente).
- Mantenha o bebê com as pernas dobradas em direção à barriga.
- Faça massagem na barriguinha dele.
- Enrole o bebê em um cobertor aquecido e ande com ele no carrinho.
- Coloque-o de bruços em seu colo e massageie as costas.
- Sente-se com o bebê em uma cadeira de balanço.
- Caminhe com ele em quarto escuro, silencioso.
- Deite-se de costas e coloque-o de bruços sobre você enquanto massageia as costas. (Coloque-o no berço quando adormecer.)
- Dê uma volta de carro com ele.
- Coloque música suave ou sons relaxantes.
- Pergunte ao pediatra sobre medicamentos especiais para cólica e gases.

Dicas para os Pais Quando o Bebê Apresenta Cólica

Use as próximas sugestões para ajudá-la a lidar com o estresse da situação. Lembre-se de que, se cuidar de si mesma e simplificar sua vida, você terá mais condições de oferecer conforto ao bebê durante esses momentos difíceis.

- Planeje os passeios para os períodos em que o bebê está bem.
- Saiba que o bebê *vai* chorar quando sentir cólica e, embora você possa fazer várias coisas para aliviá-lo, nada interrompe o choro *totalmente.*
- Aproveite se outra pessoa oferecer para ficar com o bebê, mesmo se for apenas para você tomar um banho.
- Lembre-se de que esta situação é temporária.
- Experimente diversas sugestões até descobrir o que funciona melhor.
- Evite uma lista longa de tarefas agora; faça apenas o que for mais importante.
- Troque idéias com outros pais que enfrentam a mesma situação.
- Se o choro a incomoda, deixando-a tensa ou irritada, coloque o bebê no berço ou peça a alguém que o segure durante algum tempo para que você não corra o risco de sacudi-lo ou machucá-lo.
- Saiba que a cólica não deixa seqüelas.

Quando Devemos Chamar o Médico?

Sempre que estiver preocupada com o bebê, telefone ao pediatra. No caso de cólica, devemos telefonar-lhe se:

- O choro for acompanhado por vômito
- O bebê não está ganhando peso
- A cólica dura mais de quatro meses
- O bebê parece sentir dor
- O bebê não quer ser tocado e nem que o seguremos
- O choro não se limita a uma vez por noite
- Não há movimentos intestinais regulares ou fraldas molhadas
- Você percebe outros problemas que não aparecem na lista anterior de sintomas

Infecções de Ouvido

Se o bebê estiver muito inquieto, acordando mais do que o comum, acordar chorando como se estivesse com dor ou tentar puxar as orelhas, talvez seja uma infecção de ouvido, que é muito comum porque os canais auditivos são curtos, largos e horizontais, dando às bactérias oriundas do nariz e garganta um caminho fácil e rápido até os ouvidos. À medida que o bebê cresce e os canais se desenvolvem, eles deixam de ter tendência à infecção de ouvido. Mas, até lá, se não for tratada, ela impedirá que o bebê durma bem.

Causas e Sintomas de Infecções de Ouvido

Infecções de ouvido ocorrem quando bactérias e secreções acumulam-se no ouvido interno, quase sempre após um resfriado, infecção dos seios da face ou outra doença respiratória. As secreções ficam retidas no ouvido, causando dor latejante. A infecção de ouvido não é contagiosa, embora as doenças que geralmente a precedem sejam.

O bebê pode apresentar todos, alguns ou nenhum dos sintomas. É sempre importante consultar o pediatra se houver suspeita de infecção de ouvido. A impressão de que algo não está certo já é justificativa suficiente para entrar em contato com o médico. Siga seus instintos.

Estes sintomas *podem* indicar infecção de ouvido:

- mudança súbita no temperamento: inquietação, choro e dependência da mãe;

- Acorda mais vezes à noite
- Acorda chorando, como se sentisse dor
- Febre
- Diarréia
- Redução no apetite ou dificuldade para engolir (o bebê recusa o peito ou a mamadeira e chora mesmo se estiver com fome)
- Coriza que continua após o resfriado
- Secreção nos olhos
- Inquietação quando deitado que acaba assim que o bebê é colocado na posição vertical

Estes sintomas quase sempre indicam infecção de ouvido:

- O bebê tenta puxar ou bater nas orelhas, demonstrando desconforto
- Secreção verde, amarela ou branca no ouvido
- Odor desagradável saindo do ouvido
- Sinais de dificuldade em ouvir

O Que Fazer em Caso de Infecção de Ouvido

Se o bebê apresenta os sintomas e você suspeita de infecção de ouvido, procure o pediatra imediatamente. Ouvir o médico dizer que "os ouvidos estão bem e que é apenas a dentição" é muito melhor do que deixar o bebê (e você) sofrendo com a infecção não-tratada. A consulta também é importante porque a infecção de ouvido não tratada pode resultar em dificuldades na fala, perda de audição, meningite ou outras complicações.

O pediatra pode sugerir o seguinte se o bebê tiver infecção de ouvido (mas não tente solucionar o problema sozinha, sem o diagnóstico e orientação do médico):

- Analgésico ou dipirético conforme prescrição médica. (Não dê aspirina ao bebê a não ser sob orientação do pediatra.)
- Manter a cabeça do bebê elevada durante o sono. Pode-se erguer uma extremidade do colchão (tente colocar latas vazias sob o colchão ou algumas das sugestões da página 143-144), colocá-lo para dormir no carrinho ou banco do carro, ou deixá-lo dormir em seus braços ou no canguru.
- Colocar compressa morna seca sobre o ouvido afetado.
- Manter os ouvidos secos e longe da água.

- Oferecer líquidos ao bebê.
- Usar remédio prescrito.
- Administrar antibióticos prescritos.
- Não mandar o bebê à creche e nem deixá-lo por conta da babá.

Reduza a Chance de Infecções de Ouvido

Qualquer bebê pode ter infecção de ouvido, mas podemos tomar algumas medidas para reduzirmos a probabilidade.

- **Previna gripes e resfriados, que introduzem bactérias no organismo da criança.** Lave sempre as mãos do bebê e as suas. Peça a qualquer pessoa que for segurá-lo para lavar as mãos, sobretudo se tiver contato com alguém resfriado ou gripado. Mantenha o bebê longe de pessoas resfriadas ou gripadas.
- **Mantenha o bebê longe da fumaça de cigarros.** Apenas uma tarde em contato com a fumaça de cigarro pode aumentar as chances de o bebê apresentar infecção de ouvido.
- **Amamente o bebê no mínimo durante seis meses.** Os anticorpos e ativadores do sistema imunológico presentes no leite materno desestimulam o crescimento bacteriano. Além disso, a maneira como o bebê suga do peito (sucção vigorosa e deglutição freqüente) ajuda a impedir que o leite flua para os ouvidos. Bebês que mamam são muito menos propensos à infecção de ouvido do que os que usam a mamadeira.
- **Nunca apóie a mamadeira no bebê ou permita que ele durma com ela.** Isso pode fazer com que o leite se acumule na boca e vaze nos canais auditivos. (Além de causar cárie.)

Refluxo (Refluxo Gastresofágico — RGE)

Gastresofágico refere-se ao estômago e esôfago. *Refluxo* significa retornar ou fluir em sentido contrário. Refluxo gastresofágico é quando o conteúdo do estômago retorna ao esôfago. O bebê com refluxo sofre dores estomacais semelhantes à azia, que costumam ser desconfortáveis quando ele deita para dormir, dificultando o sono. O refluxo é mais comumente causado pela imaturidade do sistema digestivo e quase todos os bebês com refluxo superam o problema.

Os sintomas mais comuns são:

- Regurgitar ou vomitar freqüentemente

- Dificuldade em alimentar-se ou evitar o alimento mesmo estando faminto
- Beber ou engolir em demasia
- Choro sinalizando dor
- Acordar à noite chorando
- Inquietação e choro após alimentar-se
- Maior inquietação e choro ao deitar-se de costas
- Menor inquietação quando na posição vertical ou deitado de bruços
- Resfriados freqüentes ou tosse reincidente
- Regurgitar ao forçar o movimento intestinal
- Soluços freqüentes
- Congestão nasal e dos seios da face
- Perda de peso

Se o bebê apresentar alguns desses sintomas, devemos falar com o médico sobre a possibilidade de refluxo. Assim que ele confirmar nossa suspeita, ele poderá sugerir:

- Oferecer refeições pequenas e freqüentes.
- Manter o bebê na posição vertical durante trinta a sessenta minutos após alimentar-se.
- Colocar o bebê de bruços em ângulo de 30 graus após alimentar-se e observá-lo. Lembre-se de que a maioria dos bebês deve dormir de costas — segundo a American Academy of Pediatrics, até mesmo os que apresentam refluxo. Se o bebê tem refluxo grave, fale com o médico sobre uma possível alternativa.
- Evitar colocar o bebê sentado, o que poderia forçá-lo para frente (como na cadeirinha) logo após alimentar-se.
- Elevar a cabeceira do berço colocando-se um objeto estável sob os pés do berço ou um bloco de madeira ou livros sob o colchão.
- Para o bebê que usa mamadeira, mude a marca do leite em pó ou tente um tipo mais espesso. Experimente vários modelos de mamadeira e estilos de bico para reduzir o excesso de ar.
- Para o bebê que é amamentado pela mãe, dê-lhe mamadas freqüentes, menores. Se ele estiver pronto para alimentos sólidos, dê-lhe uma pequena porção de flocos de arroz após amamentá-lo.
- Evite roupas apertadas na barriga.

- Evite deixar o bebê chorar, pois o choro agrava o refluxo. Carregue-o para diminuir o choro.
- Evite expô-lo à fumaça de cigarro.

Se o refluxo for intenso, converse com o médico sobre medicamentos, como o uso de antiácido infantil.

Alergias e Asma

Se o bebê apresenta determinada condição que afeta a respiração, geralmente afetará o sono também. Talvez os pais estejam lutando com um bebê que acorda várias vezes durante a noite e não têm consciência de que a causa é asma ou algum tipo de alergia.

Sintomas de Alergias e Asma

Às vezes, é difícil diferenciar entre um resfriado comum e uma condição mais grave. Aqui estão os sinais de alergias e asma que devemos observar:

- Coriza
- Tosse, sobretudo à noite
- Fungadelas
- Espirros
- Nariz congestionado, sobretudo ao acordar
- Nariz, ouvidos ou olhos irritados
- Olhos lacrimejantes
- Dor de garganta
- Dificuldade em respirar
- Irritação cutânea
- Diarréia
- Sintomas de resfriado que duram mais de duas semanas
- Infecções de ouvido crônicas, persistentes
- Aumento nesses sintomas após contato com animais, plantas e flores

Apenas o médico pode dizer se a criança realmente tem alergias ou asma porque muitos dos sintomas assemelham-se àqueles normalmente atribuídos ao resfriado, congestão respiratória ou outras condições infantis corriqueiras, como a dentição. Se você suspeita de que seu filho tenha alergias ou asma, é importante conversar com o pediatra a respeito.

Pesadelos, Terror Noturno, Sonambulismo, Soniloqüência (Falar Dormindo)

Bebês maiores podem ter o sono interrompido por vários distúrbios comuns. Ocasionalmente, o bebê pode acordar chorando ou falando no sono, ou pode mexer-se, sentar-se, engatinhar ou até mesmo andar dormindo. A maioria desses incidentes é rara e de curta duração.

A melhor opção para os pais nessa situação é acalmar o bebê da melhor maneira possível e ajudá-lo a adormecer novamente. Se o distúrbio persistir, converse com o médico.

Ronco e Apnéia do Sono

Se o bebê é muito inquieto e barulhento durante o sono, respira pela boca, e ronca ou funga ruidosamente, talvez ele esteja sofrendo de apnéia do sono. *Apnéia* significa "ausência de respiração". Os sintomas mais perturbadores desse distúrbio do sono é que o indivíduo, na verdade, pára de respirar até trinta segundos, às vezes por mais tempo. É assustador para o pai presenciar a situação e deve ser levado a sério, mas, em geral, não coloca a vida em risco e pode ser tratado. Até 10 % das crianças apresentam apnéia do sono relevante. As principais causas incluem diminuição ou estreitamento das vias aéreas ou da garganta, aumento das amígdalas ou linfonodos, obesidade e anomalias faciais. Sintomas adicionais que podem surgir em crianças maiores incluem sonolência diurna excessiva, pesadelos, incontinência urinária (enurese), terror noturno, soniloqüência, sudorese noturna e cefaléia matutina.

Nem toda criança que ronca tem apnéia do sono. Contudo, se o ronco é alto ou combinado a outros sintomas, apnéia pode ser a causa. Por outro lado, nem toda criança com estreitamento das vias aéreas, aumento das amígdalas ou excesso de peso apresentam apnéia do sono.

Apnéia *não tratada* pode causar problemas cardíacos e hipertensão, além de falta de dormir significativa. Estudos não conseguiram ligar a apnéia do sono à incidência de Sids.

Qual É a Cura?

O tratamento mais comum para apnéia do sono infantil é a remoção ou redução das amígdalas ou adenóide. Outros tratamentos comuns são o aumento da via aérea, mantê-la aberta durante o sono ou perda de peso (quando a causa for obesidade).

Como Verificar se o Bebê Tem Apnéia do Sono

Todos os pais devem observar seu bebê adormecido de vez em quando. Em um quarto silencioso, mal se pode ouvir sua respiração; ele deve respirar pelo nariz e a respiração tem que ser regular e sem esforço. Isso não é válido se o bebê estiver resfriado ou com o nariz congestionado, embora seja importante saber que crianças com apnéia do sono quase sempre apresentam sintomas exagerados quando resfriadas.

Se a respiração do bebê durante o sono for ruidosa, pela boca, acompanhada por ronco ou chiado, ou se ele parece se esforçar para respirar, fale com o pediatra, otorrinolaringologista ou especialista em distúrbios do sono sobre a possibilidade de apnéia do sono. Se o seu filho é recém-nascido, esses sinais podem ser gravíssimos e devem ser comunicados ao médico imediatamente.

Prosseguindo com o Plano do Sono

Agora que você analisou a situação atual do sono do bebê e descobriu possíveis problemas, é hora de ajustar seu plano. Releia a seção de sugestões, aprimore o plano e siga-o por mais dez dias. Ao término desse período, faça outra planilha e, se trabalhar direito, sei que estará dormindo como nunca — junto com o *seu* bebê, aquele que dorme a noite toda.

9

Siga Seu Plano por Mais Dez Dias

Neste ponto do plano é importante você seguir as etapas dos Capítulos 7 e 8, pois aquelas seções ajudarão você a descobrir como usar melhor o plano nos próximos dez dias. Talvez você descubra que precisa mudar algumas partes. Talvez tenha percebido que os hábitos de dormir do bebê não são exatamente o que você pensou a princípio e é preciso acrescentar ou até mesmo eliminar algumas de suas idéias originais. Ou talvez você tenha decidido que seu plano está correto e apenas precisa aplicá-lo por mais dez dias.

Agora que teve tempo de analisar e experimentar algumas dessas novas sugestões, você começará a entender mais a leitura e como aplicar os conceitos. Talvez tenha tido alguns momentos de "Eureca!", onde algo que o bebê faz está de acordo com algo que você leu e, de repente, você adquire uma compreensão mais profunda da lógica por trás das soluções.

Cada Bebê, Cada Família... Cada um É Único

Sempre suspeitei daqueles quadros sobre o desenvolvimento infantil e marcos que nos dizem exatamente o que esperar a cada semana de vida. Como nós, adultos, os bebês não são todos iguais, e supor que todos os bebês agem exatamente da mesma maneira, na mesma época, não tem lógica. Como mãe de quatro, eu *sei* que os bebês desenvolvem-se em linhas cronológicas completamente diferentes. Meus filhos demonstraram a singularidade de seu próprio desenvolvimento quando todos passaram pelos marcos principais em momentos bem diversos. Vanessa tinha apenas dezoito meses quando disse a primeira frase, "Biscoito mamãe, por favor", ao passo que Angela começou a usar frases completas quando tinha quase dois anos e meio. David andou aos dez meses e correu logo depois, mas Cole apenas engatinhava e adorava ser carregado até os dezesseis meses de idade. Como já mencionei, Angela só passou a dormir a noite toda aos dois anos, enquanto Vanessa realizou o feito sozinha com seis semanas de vida. O mais interessante nessas comparações é que agora, aos dois, dez, doze e catorze anos de idade todos falam e andam perfeitamente e dormem a noite toda. Ou seja, estou tentando dizer que os bebês são diferentes. Há coisas que podemos fazer para ajudá-lo a dormir *melhor*, mas o momento para o pequenino dormir a noite toda, todas as noites, também é influenciado por sua fisiologia e temperamento. Portanto, é melhor não comparar os hábitos de sono do seu bebê com outros, mas, sim, com seu próprio ritmo, a cada semana. *Seu* êxito será alcançado ao observar melhorias nos padrões individuais do bebê à medida que você prossegue com o plano.

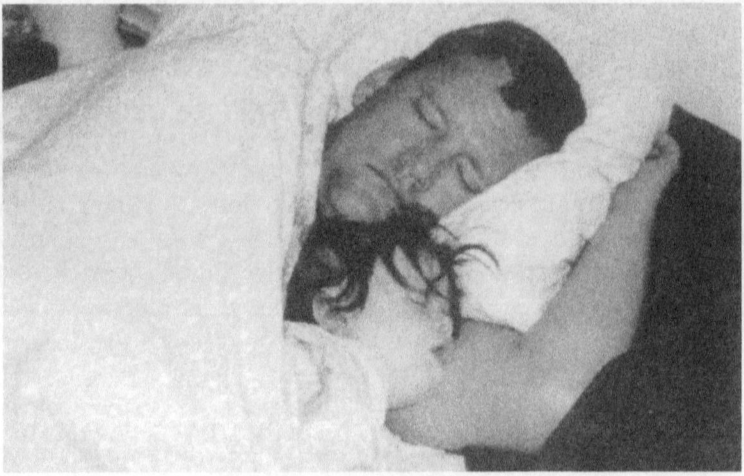

Jim e Lauren, nove meses

Quanto Tempo Vai Demorar?

Paciência, paciência. Estamos lidando com um ser humano pequenino e real, não com um computador que pode ser programado. Embora fosse maravilhoso se eu pudesse inventar uma solução instantânea para o bebê dormir sem chorar, não creio que tal plano venha a existir um dia. Sugiro que você comemore cada êxito alcançado. O bebê cochila por mais tempo agora? Ótimo! Adormece mais rapidamente? Excelente! Dorme por mais tempo à noite entre um despertar e outro? Aleluia! Se você é capaz de apreciar sinceramente cada pequena vitória ao longo do caminho, certamente vai se sentir melhor a respeito dessa questão do sono. Você *está* no caminho para o bebê dormir a noite toda. Acontecerá. Agora, é hora de renovar o compromisso com o plano por mais dez dias. Boa sorte!

"Já Tentei Tudo! Nada Funciona! Socorro!"

As sugestões desta seção são para aqueles que estão no fim da linha ou prestes a desistir e deixar o bebê chorar até adormecer.

Por inúmeras razões, nenhuma mãe participante de meu experimento obteve sucesso fabuloso e imediato. Alguns pais se esforçaram, durante semanas, até perderem as esperanças. Alguns conseguiram reavaliar o que estava acontecendo, fazer ajustes no plano e buscar o sucesso. Outros ainda se esforçam, como essas duas famílias:

> "Não tenho nada de bom para contar. Comecei duas planilhas e não completei nenhuma. Na primeira cheguei até 22h41. Inacreditável! Ela acordou tantas vezes que não consegui acompanhá-la. Dormiu em nossa cama e acordava a toda hora. Uma loucura. Para mim chega. Estamos além da exaustão! Não quero ser a única participante do experimento a fracassar, mas parece que é isso que vai acontecer. Todos os dias, meu marido e eu conversamos sobre deixá-la chorar até dormir. Até tentamos durante um minuto e conseguimos chegar aos dois minutos, mas nenhum de nós conseguiu prosseguir. Portanto, embora ameacemos fazê-lo, não acho que deixá-la chorar até dormir seja uma opção. Não sabemos o que fazer."

> "Não agüento mais. Sinto que estou desesperada. Mais uma vez, passei a noite de cama em cama. Mal consigo pensar. Ele não está dormindo agora e está acordando para mamar desde as 4 da manhã. Já passa das seis e, cada vez que me separo dele, ele chora como se eu o estivesse machucando. É ridículo e estou começando a odiar amamentá-lo! É horrível. Não paro de chorar. Meus amigos não ajudam em nada. Dizem: 'Está vendo? Eu a avisei. Não deveria tê-lo mimado, deveria tê-lo deixado chorar até dormir.'. Sei que eles estão errados e eu, agindo corretamente com meu bebê, mas não vou suportar a 'falta de dormir' por muito tempo."

Se *você* chegou a esse ponto, vou lhe dar três sugestões completamente diferentes de tudo o que já sugeri aqui. Obviamente você atingiu um nível perigoso de emoções extremas e não quer machucar o bebê acidentalmente, sacudindo-o ou batendo-lhe. Isso pode acontecer quando se chega ao ponto em que você chegou. (Mesmo o pai mais amoroso pode ser influenciado pela raiva em conseqüência da falta de dormir extrema.) Você também não quer começar a ressentir-se do bebê ou deixar que a falta de dormir interfira no que deveria ser uma época de alegria com seu filho.

Se o seu filho tem mais de quatro meses de idade, você pode empregar qualquer uma das três próximas sugestões. Tire um dia para analisá-las. Discuta-as com seu marido ou amigo de confiança. Respire fundo. (Se o bebê tem menos de quatro meses, leia a seção sobre recém-nascidos que começa na página 36.)

Primeira Sugestão: Dê um Tempo

Durante a próxima semana, não lute quando o bebê acordar à noite. Faça o que for melhor para que ele volte a dormir rapidamente. Livre-se do relógio no quarto ou, pelo menos, não o deixe à vista. Vá para a cama bem cedo e fique deitada até mais tarde pela manhã. Estabeleça prioridades em sua vida e não faça nada que possa ser adiado por uma semana. Tire uma soneca e assim que puder. Denomine este período de semana do "farei qualquer coisa para conseguir dormir um pouco". Aja assim, durante uma ou duas semanas, para dar um tempo a si mesma, e depois retome as sugestões com uma perspectiva renovada. Ou, se funcionar para você, faça isso durante um mês e veja se o bebê supera sozinho o problema de acordar à noite. Para ser honesta, é improvável que isso aconteça, mas, após renovar as energias e pagar parte de sua dívida de sono, você se sentirá melhor e mais capacitada para preparar um plano de sono.

Durante esse período, leia o Capítulo 8, sobretudo a seção que começa na página 129. As informações ali contidas poderão ajudar você a descobrir os problemas que estão impedindo o seu sucesso.

Segunda Sugestão: Leve a Sério

Continue seguindo as etapas deste livro com uma mudança. Leve a sério! Chega de "talvez", "mais ou menos", "realmente deveria" ou "da próxima vez". Reserve alguns momentos tranqüilos para reler as primeiras partes deste livro. Ajuste o foco, concentre-se. Crie um plano baseado no que aprendeu sobre o sono e no que sabe sobre si mesma e o bebê. Confie no programa porque ele pode ajudá-la. Siga religiosamente cada sugestão.

Se o bebê passar parte da noite na cama com você e continuar acordando muitas vezes, transfira-o ao berço para conseguir períodos de sono mais longos. Isso exigirá que levante diversas vezes durante alguns dias, mas o resultado final será o bebê dormindo mais tempo. Veja como fazer na página 94. Assim que ele estiver dormindo profunda e regularmente, você poderá trazê-lo para sua cama se desejar.

Muitos pais que alcançaram o ponto de máxima frustração descobriram que estavam seguindo apenas parte das sugestões — esperando que o sucesso viesse de qualquer maneira. Seguir as sugestões superficialmente não resultará em sucesso duradouro.

Releia a introdução e toda a seção de soluções apresentadas no Capítulo 4. Modifique seu plano se necessário, siga-o à risca e o bebê dormirá. É também um bom momento para ler o Capítulo 12 em busca de incentivo.

A maioria dos pais que segue meu plano religiosamente constata resultados excelentes em, no máximo, trinta dias. O mesmo acontecerá com você.

Terceira Sugestão: Uma Alternativa Moderada para Deixar o Bebê Chorar até Adormecer

Se estiver prestes a desistir, jogar este livro e todas as minhas sugestões pela janela e simplesmente deixar o bebê chorar até dormir, então esta parte foi escrita para você.

O Dr. Sears denomina este nível em que você se encontra de "zona de perigo", e avisa que se a rotina noturna do bebê estiver irritando os pais, fazendo-os ressentirem-se do filho, a situação precisa mudar. Estou incluindo a próxima sugestão porque você está no fim da linha. Pode funcionar perfeitamente ou apenas irritá-la ainda mais. Analise-a primeiro antes de tomar a decisão de experimentá-la. Se em determinado momento você perceber que está agravando ainda mais a situação, volte imediatamente à Sugestão Número Um e tire uma semana para reavaliar o que está acontecendo.

Esta sugestão é mais adequada se o bebê tem mais de um ano de idade. Mas, se o seu for menor (com mais de quatro meses) e estiver prestes a colocá-lo no berço e providenciar protetores para os seus ouvidos, então esta é a melhor alternativa. Aqui estão as etapas para uma alternativa moderada em vez de deixar o bebê chorar até dormir.

1. Dedique-se mais ao bebê durante o dia (sobretudo de manhã e antes de dormir). Passe mais tempo com ele, abraçando-o, afagando-o e carregando-o.
2. Ensine ao bebê a diferença entre claro e escuro. (Leve-o ao banheiro e faça uma brincadeira — luzes apagadas: escuro! Luzes acesas: claro! Leia livros sobre opostos. De manhã e à noite, comente sobre a hora do dia, olhando pela janela.)
3. Na hora de dormir, explique a ele claramente suas expectativas. Por exemplo, você pode dizer: "Mamamos (no peito ou na mamadeira) quando está claro. Dormimos quando está escuro!". Procure alguns livros sobre bebês e sono ou escreva o seu (veja as páginas 104-106). Leia-os para o bebê como parte da rotina noturna.
4. Quando ele acordar durante a noite, repita suas expectativas. Por exemplo, diga: "Ccch. Vamos nanar. Mamamos no claro, dormimos no escuro. Está escuro agora. Vamos dormir!". Acalente-o e diga-lhe que é hora de dormir.

5. O bebê chora. Talvez chore muito e fique irritadíssimo. Esteja preparada para isso e diga a si mesma: "Ele vai ficar bem. Agirei assim apenas por [você preenche] noites". (Escolha quantas noites está disposta a tentar.)
6. Se constatar que não consegue deixá-lo chorando no berço, mesmo estando ali ao lado, pode segurá-lo, embalá-lo, afagá-lo ou fazer qualquer coisa capaz de ajudá-lo e a si mesma. (Se o seu marido ou outra pessoa responsável pelos cuidados com o bebê puder fazer esta parte, é mais fácil para ambos, mãe e filho.)
7. Se o bebê já desmamou, mas acorda com freqüência para ser carregado ou embalado, você pode usar a mesma sugestão. Mas deixe-o no berço e conforte-o lá. (Uma mãe experimentou essa idéia e caiu no chão, adormecida, com as mãos entre as grades do berço, afagando o bebê!)
8. Sussurre palavras de conforto (tanto para acalmá-la quanto para informar ao bebê sobre sua presença). "Isso vai acabar logo. Eu te amo. Está tudo bem. Mamãe está aqui. Hora de dormir!".
9. Se em determinado momento você ou o bebê ficarem muito irritados, amamente-o, dê-lhe a mamadeira ou empregue qualquer método para acalmá-lo e ajudá-lo a adormecer. O bebê estará muito cansado; ele adormecerá logo e dormirá por mais tempo. Não há motivo para forçar a situação. Tente novamente na próxima vez que ele despertar ou na noite seguinte.
10. Você pode determinar a hora em que deseja interromper o processo naquela noite. Por exemplo: "Vou tentar até as 3 da manhã. Depois, vou levá-lo até a minha cama para que nós dois possamos dormir um pouco!".
11. Sei que acreditamos que todo choro é ruim. Mas se a mãe está à beira de um colapso, sem paciência para ajustes gradativos, ou se o pai ameaça passar a noite no hotel, talvez seja a última opção. Você tem sido mãe zelosa e o bebê é amado e bem-cuidado. Certamente, o descanso e a tranqüilidade são importantes para os dois. Martha e Williams Sears em *The Breastfeeding Book* afirmam: "Chorar e demonstrar irritação nos braços do pai zeloso não é o mesmo que chorar até cansar-se". Portanto, se achar que deve utilizar este processo, não se martirize. Faça-o da maneira mais rápida possível e dê ao bebê muito amor e carinho durante o dia.
12. Lembre-se, a qualquer momento, mesmo no meio da noite, não há problema algum em desistir dessa idéia e usar a Primeira Sugestão, da página 150.

10

Preencha a Planilha, Analise Seu Sucesso e Refaça o Plano, se Necessário, a Cada Dez Dias

Agora que você seguiu seu plano de sono por no mínimo mais dez dias, é hora de elaborar outro conjunto de planilhas, analisar o êxito e fazer as mudanças necessárias ao plano. Além disso, você usará as informações deste capítulo, após cada dez dias, até sentir-se satisfeita com o sono do bebê.

Usando os formulários, crie as novas planilhas e leia as instruções que as acompanham. Faça fotocópias dos formulários ou crie os seus em um caderno.

Reveja as informações no Capítulo 8 enquanto prossegue nesse processo.

Mantenha Este Livro Sempre à Mão

Mesmo depois de o bebê dormir a noite toda e cochilar durante o dia, é possível que ainda ocorram contratempos nos próximos anos. Todos os problemas que discutimos no Capítulo 8 (infecções de ouvido, dentição e férias) provavelmente perturbam até mesmo o horário do melhor dorminhoco. Não se preocupe demais com essa ocorrência normal. Releia este livro e siga o plano durante uma ou duas semanas para colocar o bebê na linha.

Use as planilhas e avaliações das páginas seguintes, a cada dez dias, até alcançar o sucesso máximo, e depois utilize-as a qualquer momento, no futuro, quando o sono do bebê precisar de ajustes.

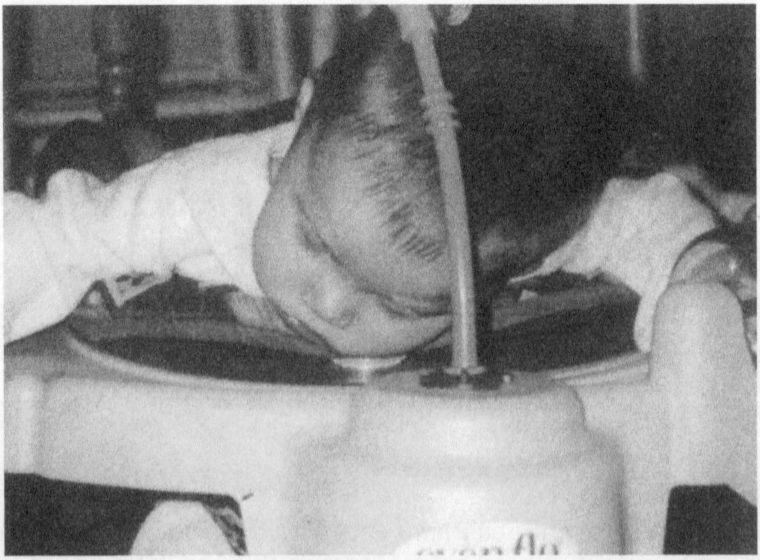

Coby, cinco meses

Planilha de Cochilos para Dez Dias

Nome do bebê:____________________

Idade:____________________

Data:____________________

Há quantos dias segue o plano?____________________

Hora que o bebê adormeceu	Como o bebê adormeceu	Onde o bebê adormeceu	Onde o bebê dormiu	Por quanto tempo

1. Reveja a Tabela 2.1, na página 20, ou copie as informações de sua primeira planilha:
   Quantas sonecas o bebê **deveria** tirar?____________________
   Quantas sonecas o bebê tira **agora**?____________________
   Quantas horas o bebê **deveria** dormir durante o dia?____________
   Quantas horas o bebê dorme durante o dia **agora**?____________
2. Você tem uma rotina formal para os cochilos diurnos?____________
3. Você está observando os sinais de sonolência e colocando o bebê para tirar um cochilo assim que percebe que ele está cansado?__________
4. A hora/duração das sonecas do bebê é constante todos os dias?______

Planilha da Rotina Noturna para Dez Dias (antes de dormir)

Nome do bebê:________________________________

Idade:________________________________

Data:________________________________

Há quantos dias segue o plano?____________________

Legenda:
Atividade: intensa, moderada ou calma
Barulho: intenso, moderado ou silêncio
Iluminação: intensa, penumbra ou escuridão

Hora	O que fizemos	Nível de atividade	Nível de barulho	Nível de iluminação

1. Nos últimos dez dias, aproximadamente quantos dias você seguiu a rotina noturna formal?________________________
2. A hora antes de ir para cama é tranqüila, silenciosa e com pouca iluminação?________________________
3. Sua rotina noturna ajuda o bebê a relaxar, preparando-o para dormir?______
4. A rotina noturna é coerente, indicando ao bebê que é hora de dormir?____
5. Você considera sua rotina noturna relaxante e prazerosa?______________

Planilha do Despertar Noturno para Dez Dias

Nome do bebê:________________________

Idade:________________________

Data:________________________

Há quantos dias segue o plano?________________________

Hora	Como o bebê me acordou	Quanto tempo acordado; o que fizemos	Quando o bebê voltou a dormir	Como o bebê voltou a dormir	Quanto tempo ele dormiu

Hora em que adormeceu:________________________
Hora em que acordou:________________________
Número total de vezes que despertou durante a noite:____________
Período de sono mais longo:________________________
Total de horas de sono:________________________

Esta é uma comparação de suas planilhas. Preencha os horários e as mudanças ocorridas:

	1ª planilha	Dez dias	O que mudou	Vinte dias	O que mudou	Trinta dias	O que mudou	Quarenta dias	O que mudou
Número de cochilos									
Duração dos cochilos									
Hora de dormir: hora em que adormeceu									
Hora em que acordou									
Número de vezes que despertou durante a noite									
Período de sono mais longo									
Total de horas de sono									

Use esta planilha para analisar a situação a cada dez dias:

Durante os últimos dez dias, até que ponto você seguiu o plano à risca?

☐ Segui à risca todas as partes do plano durante dez dias.

☐ Segui algumas partes do plano, mas não tudo.

☐ Comecei muito bem, mas retomei os antigos hábitos.

☐ Plano? Que plano? (Epa! É melhor voltar à Etapa Um!)

Você constatou mudanças positivas em pelo menos uma área? (Por exemplo: aumento de quinze minutos na duração do sono noturno ou diurno; a hora de dormir foi antecipada; redução no número de vezes em que o bebê acorda à noite?)____________________

Que áreas apresentam mais mudanças?____________________

Por quê? (O que você fez para influenciar o resultado?)__________

____

____

____

Que áreas apresentam menos mudanças?____________________

____

Por quê? (O que você fez para influenciar o resultado?)__________

____

O que você aprendeu sobre os hábitos de dormir do bebê nos últimos dez dias?______________________________

____

____

Que partes do plano parecem melhor influenciar o sono do bebê? ____

____

____

____

Que mudanças você considera necessárias agora? _______________

____

____

Como fará essas mudanças?______________________________

____

____

____

Parte 2

Vamos Falar sobre Você

O bebê não está dormindo a noite toda, mas, de certa forma, acorda alegre e demonstra uma felicidade exuberante em relação à vida que contradiz qualquer falta de dormir. Você, por outro lado, encontra-se vagando a esmo, muito cansada pelas noites passadas em claro, esperando por aquela noite aparentemente impossível quando poderá dormir a noite toda sem interrupção. Ou, até pior, talvez esteja acordando sozinha entre um e outro despertar do bebê, aumentando ainda mais a frustração da situação. Muitos pais constatam que, quando o bebê está dormindo profundamente, eles continuam *seu próprio* padrão de despertar freqüentemente à noite. Se existe algo pior do que acordar para cuidar do bebê várias vezes, é acordar várias vezes enquanto ele dorme tranqüilamente!

Esta parte do livro é sobre *você*, sobre ajudá-la a retomar seu padrão normal de sono. E é repleta de boas notícias: ao seguir estas dicas, você dormirá feliz em um piscar de olhos.

O capítulo final deste livro fala sobre manter sua sanidade durante esse período que você não dorme. Ele a incentivará na jornada em direção ao equilíbrio, ajudando-a a permanecer focada no futuro. Você verá maneiras de reduzir a frustração e a sensação de impotência, reforçando sua determinação em trabalhar no plano de sono do bebê e seu.

11

O Bebê Está Dormindo (Finalmente!), mas a Mamãe Não

Após seguir *Soluções para Noites Sem Choro* — elaborar o plano de sono, acompanhar seu progresso, persistir noite após noite — o bebê finalmente, está dormindo. Incrível, maravilhoso. Não foi preciso que a cuca viesse buscá-lo. O bebê dorme a noite toda.

Mas *você* não.

Depoimento de Mãe

"O bebê dorme a noite toda, mas eu acordo a cada duas horas olhando o relógio."

Robin, mãe de Alicia, treze meses

Não desanime: é uma situação comum e este capítulo lhe mostrará como melhorar o próprio sono.

O Que Está Acontecendo?

Algumas coisas desequilibraram seu sono no ano anterior. Situações como a gravidez, seguida pela chegada do bebê, e talvez seguida por outra gravidez e um ou mais bebês. Se o bebê foi adotado, você perdeu noites de sono durante o processo longo e estressante e depois nos primeiros meses em que o bebê não dormia.

Talvez você não perceba que adquiriu o *hábito* de acordar durante a noite. Seu sono noturno *normal* inclui despertar muitas vezes, e o seu organismo acostumou-se a um certo nível de interrupção do sono.

Provavelmente, você não dorme a noite toda há muito tempo, há mais tempo do que imagina! Na verdade, muitos pais esquecem como era o seu padrão de sono antes de terem filhos. Muitos supõem que costumavam dormir oito horas seguidas. Oito horas *é* o número que os especialistas recomendam para a maioria dos adultos. Mas, na verdade, segundo a National Sleep Foundation, os adultos dormem em média cerca de sete horas por noite. Além disso, pelo menos metade dos adultos tem problemas para dormir — adormecer e continuar dormindo — com bebê em casa ou não. Ou seja, se você não dormia feito uma pedra antes do bebê, não o fará agora também.

Há outro aspecto de sua situação atual de sono a ser considerado. À medida que envelhecemos, o número de horas que precisamos dormir e o número de horas que realmente dormimos costuma diminuir e os problemas com o sono aumentam.

Estudos recentes conduzidos pela National Sleep Foundation reconheceram o impacto da variação hormonal mensal em nosso sono. Nesses estudos, 43 % das mulheres descreveram perturbação no sono na semana *anterior* à menstruação; 71 % descreveram problemas com o sono *durante* a menstruação. Além disso, 79 % das mulheres descreveram problemas com o sono durante a gravidez. (Pessoalmente, acho esse número muito baixo — provavelmente porque os 21 % que responderam "não" nessa pesquisa estavam cansadas demais para entender a pergunta.)

Segundo especialistas em sono, não é apenas a idade mas também o estresse da vida adulta que contribui para nossos problemas com o sono. (Odeio ser a portadora de más notícias, mas estima-se que 50 a 90 % de pessoas acima de sessenta anos de idade têm problemas com o sono.)

Junte todas essas situações e há pouquíssimas noites em que nosso sono não é perturbado por algum motivo.

Portanto, agora você conhece *o restante da história.* Não podemos culpar nossos filhos por *todos* os problemas com o sono!

Como Conseguir uma Boa Noite de Sono

Como você acabou de vivenciar um período em que acordava várias vezes durante a noite, não preciso dizer-lhe que a qualidade e quantidade de sono pode influenciar toda a nossa vida. O sono adequado e repousante é essencial à saúde e ao bem-estar.

Cada indivíduo tem necessidades de sono específicas, e devemos medir a nossa segundo a nossa própria saúde. Deixe seu corpo dizer-lhe o que ele necessita e preste bem atenção. Aprenda a reconhecer os sinais que indicam se você está ou não dormindo o suficiente.

A seguir, algumas dicas úteis para melhorar o sono adulto que encontrei em minhas pesquisas para este livro. Verifique a lista e use tantas alternativas quanto desejar. A aplicação de apenas uma ou duas sugestões também dá bons resultados.

Aqui está um ponto importante a ser lembrado. Às vezes, as pessoas que não dormem há algum tempo sentem-se, na verdade, *mais* cansadas quando começam a empreender mudanças para melhorar seu ritmo de sono. A boa notícia é que isso dura pouco, e, assim que se adapta ao novo padrão de sono, você se sente melhor emocional e fisicamente.

Analise as sugestões seguintes, verifique as que mais lhe interessam e crie o *seu* plano de sono. Logo você estará dormindo — como uma pedra.

Pare de Se Preocupar com o Sono

É fantástico que o bebê esteja dormindo melhor agora. Essa era a meta quando você comprou este livro e já a alcançou. É apenas uma questão de tempo para você dormir melhor — assim que se acostumar com a nova rotina do bebê e ter certeza de que ele também. A ironia é que deitar na cama preocupada porque não consegue dormir apenas a manterá acordada! Portanto, relaxe. Siga essas sugestões e o sono virá.

Afaste o relógio da cama e não se preocupe se está dormindo ou não. Você não pode se forçar a dormir se ficar preocupada com o assunto. O melhor a fazer é estabelecer bons hábitos de dormir e segui-los toda noite.

Como mãe atarefada, talvez você esteja agravando o problema ao preocupar-se com o fato de que dormindo está ocupando um tempo produtivo, que poderia ser aproveitado para fazer outras tarefas. Ou você vai para a cama tarde demais ou fica deitada e se sente culpada, pensando sobre todas as outras coisas que "deveria" fazer. Permita-se dormir. É necessário para o corpo, importante para a saúde e bom para a alma. Lembre-se de que o bebê vai se beneficiar se você estiver bem descansada, porque será uma mãe (ou pai) mais feliz. E, se está amamentando ou grávida, a melhora no sono será benéfica a você e ao bebê.

Pague Sua Dívida de Sono

Quando não dormimos o suficiente, criamos uma dívida de sono que aumenta ainda mais a cada noite passada em claro. Se você ainda sente falta de dormir, tente tirar esse atraso. Reserve duas semanas e tente dedicar algum tempo extra para dormir. Faça disso sua prioridade. Sempre que possível, deite-se cedo, tire um cochilo quando puder, durma alguns minutos até mais tarde. Mesmo uma hora extra de sono ajudará você a pagar, pelo menos, uma parte da dívida de sono. Você vai se sentir melhor e tentar estabelecer uma rotina saudável.

Se simplesmente não consegue encontrar tempo extra para dormir, então esqueça essa sugestão e trabalhe no desenvolvimento de uma rotina de sono saudável. Talvez leve um mês ou mais para zerar sua dívida de sono e obter resultados com o novo programa de dormir, mas isso ocorrerá. Assim que elaborar seu próprio plano, você constatará que o sono deixará de ser uma de suas preocupações. Será apenas uma parte natural e simples de sua vida, assim como o é para o bebê.

Acerte o Relógio Biológico

Seu corpo possui um despertador interno que pode ser ajustado para hora de dormir e hora de despertar. A regularidade de seu horário de sono acerta esse relógio, fazendo-o funcionar. Se a hora de deitar e de despertar variam diariamente, a eficácia desse surpreendente dom da natureza é prejudicada; seu relógio não está sincronizado. Você se sente cansada ou alerta em momentos inadequados, às vezes temendo dormir em pé durante o dia, mas depois passando horas acordada na cama à noite.

Isso explica por que muitas pessoas têm dificuldade em acordar na segunda-feira. Se você tem um horário específico de dormir e acordar durante a semana, provavelmente constatará que na manhã de sexta-feira acorda antes de o despertador soar, e na sexta-feira à noite é um esforço ficar acordada durante o filme da tevê. Na manhã de segunda-feira, você está sonolenta e exausta quando o despertador soa. O que acontece é que, no final da semana, seu relógio biológico assume o controle por causa de seu horário regular de dormir e acordar durante a semana. Mas, no final de semana, vamos para a cama mais tarde e, se tivermos sorte, dormimos até mais tarde também. Isso, sem dúvida, cancela o ajuste de nosso relógio e na segunda-feira temos de começar tudo de novo.

Este desequilíbrio é fácil de consertar — e um plano de sono sólido e regular é a ferramenta mais prática para fazê-lo. Escolha determinada hora de dormir e de despertar; procure segui-las o máximo possível durante sete dias. Obviamente, a vida atarefada às vezes altera essa rotina. Você pode desviar-se do plano de vez em quando sem desequilibrar muito a situação. Mas, de maneira geral, se seguir seu horário regularmente, o sono será mais repousante e você terá mais energia e disposição. O relógio biológico funcionará como deveria, permitindo-lhe aproveitar o dia produtivamente e relaxar à noite.

Naturalmente, algumas pessoas de sorte conseguem funcionar perfeitamente com um horário de sono variável, mas elas são a exceção à regra. A maioria encontra enorme ajuda nessa sugestão simples e eficaz.

Organize-se

Quando nossos dias são agitados e desorganizados, o nível de estresse aumenta; as respostas emocionais e fisiológicas naturais a esse estresse prejudicam nossa capacidade de dormir. Portanto, podemos combater esse tipo de insônia examinando sua origem — temos que nos tornar mais organizados e objetivos durante o dia.

Uma lista formal de tarefas a realizar ou uma agenda podem ajudá-la a controlar melhor o seu tempo. Anotando a quantidade de detalhes fundamentais de cada dia, você conseguirá relaxar até certo ponto. É como se transferisse para o papel todas as datas, horários e tarefas que ocupam sua mente, liberando um pouco de espaço para respirar. E à noite você não ficará pensando: "O que preciso fazer? Será que esqueci alguma coisa?". Está tudo na lista e na agenda. Deixe papel e lápis próximos à cama caso uma idéia ou tarefa importante *surja* em sua mente quando estiver adormecendo. Anote-a — depois *esqueça*.

Evite Cafeína no Final do Dia

Aqui está uma informação interessante. A cafeína permanece na corrente sangüínea entre seis e catorze horas! O teor contido naquela xícara de café após o jantar ainda está no organismo à meia-noite ou mais. A cafeína contém um produto químico que causa hiperatividade e deixa o indivíduo alerta, sendo a razão para muitas pessoas acharem o café da manhã tão estimulante. Os níveis de tolerância à cafeína variam; portanto, é preciso experimentarmos para descobrir quanto podemos beber, e até que horas, sem atrapalhar o sono.

Se você amamenta, observe o bebê atentamente para ver se ele está sendo afetado pela cafeína também. Embora nenhum estudo tenha comprovado a ligação entre cafeína e a falta de sono do bebê, nós sabemos que a dieta influencia a qualidade, a quantidade e o paladar do leite materno. Portanto essa conexão não é exatamente impossível. (Muitas mães que amamentam descreveram a percepção do efeito da cafeína sobre o bebê e, por isso, vale a pena analisar a sua situação.)

Lembre-se de que a cafeína não está presente apenas no café. Chá (verde ou preto), refrigerantes em geral (verifique sempre o rótulo), chocolate, e até mesmo alguns analgésicos vendidos sem receita médica, embora em pequena quantidade.

Boas opções antes de dormir incluem leite morno ou chás de ervas que lhe darão o relaxamento necessário para dormir.

Cuidado com os Efeitos de Medicamentos e Álcool

Se você usa algum medicamento, pergunte ao médico ou farmacêutico se há efeitos colaterais. Na maioria das vezes, temos consciência de quais medicamentos nos deixam sonolentos, mas não percebemos que outros causam efeito oposto — agindo como estimulante.

Da mesma maneira, um copo ou dois de vinho ou cerveja à noite geralmente não afetam o sono e podem até provocá-lo. Mas uma quantidade maior pode ter efeito contrário, causando um episódio de insônia algumas horas depois, no meio da noite. O álcool também pode prejudicar a *qualidade* do sono, tornando-o leve e desequilibrando os ciclos normais de sonho.

Faça do Exercício uma Parte do Seu Dia

Há inúmeros benefícios na inclusão do exercício regular em nosso cotidiano e uma melhor noite de sono encabeça a lista. Muitos estudos (sem mencionar a experiência comum do dia a dia) mostram que o exercício moderado e regular reduz a insônia e melhora a qualidade do sono.

O segredo em usar o exercício para melhorar o sono é a regularidade: trinta a quarenta minutos de exercício aeróbico moderado, três a quatro vezes por semana. Para melhores resultados, termine o exercício no mínimo três horas antes de dormir; o exercício deixa a maioria das pessoas com excesso de energia, impossibilitando-as de dormirem logo em seguida. (Mais uma vez, há exceções. Algumas pessoas acham que o exercício intenso pode ajudá-las a adormecer rapidamente logo em seguida. Experimente e veja se isso se aplica a você.)

Você pode achar que o bebê lhe impede de sair e se exercitar. De forma alguma! O bebê lhe dá a desculpa perfeita para a caminhada diária empurrando o carrinho. No inverno, procure um shopping center bem amplo. Talvez essa opção não funcione todos os dias, sendo aconselhável deixar o dinheiro em casa, mas muitos pais acham que é uma maneira eficaz de conciliar a caminhada com o cotidiano. Além disso, a maioria dos bebês adora o local e beneficia-se da estimulação (que pode, na verdade, ajudá-lo a adormecer também).

Aqui estão algumas outras maneiras de conciliar o exercício diário à sua vida:

Se você trabalha em casa:

- Enquanto o bebê cochila, faça esteira, bicicleta ergométrica ou outro aparelho de academia.
- Exercite-se subindo e descendo as escadas.
- Leve o bebê para o jardim e cuide das plantas.

Se você trabalha fora:

- No horário de almoço ou intervalo, suba e desça as escadas ou caminhe ao redor do quarteirão.
- Crie uma rotina para tirar vantagem da sala de musculação ou academia da empresa.
- Faça caminhadas freqüentes e vigorosas quando for à sala da fotocopiadora, sala de correspondência ou ao banheiro.

Sugestões para todos:

- Use uma fita de vídeo e exercite-se com o bebê.
- Escolha uma música quente e dance com o bebê.
- Procure maneiras de incluir o exercício em seu dia a dia. Por exemplo, estacione longe da loja, use as escadas em vez de tomar o elevador, caminhe em vez de usar o carro se for a algum lugar perto de casa, leve os filhos maiores à escola a pé ou brinque ao ar livre com os filhos.
- Planeje atividades familiares que envolvam movimento e ação, como caminhadas, passeios de bicicleta ou brincadeiras na praia ou parque.

Torne o Ambiente Favorável ao Sono

Analise o quarto e veja se é propício ao relaxamento e sono saudável. Cada pessoa é diferente, mas há uma lista de verificações a serem observadas.

- **Conforto.** O colchão é confortável? Ele lhe dá o apoio necessário? Gosta do cobertor ou causa-lhe problemas à noite? O travesseiro tem espessura e maciez adequadas? O material é aconchegante e relaxante? Faça o possível para melhorar esses detalhes.
- **Temperatura.** Quando sentimos muito calor ou muito frio durante o sono, acordamos com freqüência. Experimente até encontrar a melhor temperatura para você. Se seu parceiro tem outras preferências,

encontre uma maneira de agradar a ambos mudando o tipo de pijama, usando um ventilador ou cobertores extras.

- **Barulho.** Algumas pessoas dormem melhor no silêncio absoluto, enquanto outras preferem música de fundo ou sons suaves. Se um parceiro gosta de barulho e o outro deseja silêncio, experimente: tente protetores para os ouvidos ou fone de ouvido se quiser ouvir música.
- **Iluminação.** Se você dorme melhor na escuridão total, vede as janelas. Se gostar de claridade, abra as persianas ou use uma luminária. (Cuidado com o uso de luminárias durante a noite se costuma acordar para usar o banheiro ou cuidar do bebê. A iluminação forte pode enganar o relógio biológico dele, fazendo-o pensar que é de manhã. Use lâmpadas bem fracas.) Volto a repetir, se o parceiro gosta de persianas abertas e você as prefere fechadas, faça um acordo. Compre protetor para os olhos ou deixe as persianas abertas de um lado do quarto e fechadas do outro.

Elabore a Sua Rotina para a Hora de Dormir

Você implementou a rotina noturna para ajudar o bebê a dormir melhor. A mesma sugestão pode funcionar para você também. Na maioria das vezes, os pais têm uma rotina agradável para colocarem os filhos para dormir. Após aquele momento relaxante, depois de quase adormecermos lendo histórias para as crianças, retomamos os cuidados com a casa, fazendo todas as tarefas que deixamos pendentes até olharmos no relógio e — ah, não! meia-noite!

Sua rotina noturna pode melhorar bastante a capacidade de dormir. Ela pode incluir qualquer atividade relaxante, como ler, ouvir música ou sentar-se com o parceiro, bebendo chá e conversando. Evite estimular a mente ou o corpo antes de dormir. Tarefas como responder mensagens de correio eletrônico, limpeza de casa ou assistir à televisão podem mantê-la acordada por muito tempo.

Se possível, tente manter o quarto na penumbra, pois a iluminação forte engana o organismo, fazendo-o pensar que o dia amanheceu e incitando a ação. Penumbra e sons suaves nos preparam para uma boa noite de sono.

Coma Corretamente e Pouco Antes de Dormir

Dormimos melhor com o estômago nem muito cheio nem vazio. Uma refeição pesada pode nos causar sono, mas mantém o organismo funcionando para digeri-la, perturbando assim o sono. O estômago vazio pode nos deixar acordados em conseqüência de dores causadas pela fome. O meio-termo é a melhor opção. Faça um lanche leve cerca de uma ou duas horas antes de dormir. Evite alimentos gordurosos, bebidas carbonatadas, condimentos ou doces. Alguns alimentos que ajudam as pessoas a dormirem melhor são leite, ovos, queijo do tipo "cottage", peru e caju. Experimente até encontrar o melhor para você.

Encoraje o Relaxamento e o Sono

Quase sempre quando deitamos na cama esperando o sono chegar, nossa mente e corpo estão prontos para agir. A cabeça está funcionando e os pensamentos nos mantêm acordados. Um método útil para dar sono é concentrar-se em pensamentos tranqüilos e relaxantes. Aqui estão algumas sugestões:

- Repita uma prece ou meditação conhecida para liberar a mente da ação diária e prepará-la para o sono. Exercícios de ioga ajudam a relaxar os músculos.
- Concentre-se na respiração enquanto repete, lentamente, a palavra *relaxar*, acompanhando os movimentos de expiração. Ou imagine sua respiração acompanhando uma onda na praia.
- Use relaxamento progressivo envolvendo todas as partes do corpo. Comece com os pés. Sinta seu peso, solte-os, relaxe-os, e depois imagine um calor suave sobre eles. Em seguida, faça o mesmo com a perna direita, depois com a esquerda e continue até a cabeça. (A maioria adormece antes!) Podemos ainda adaptar alguns exercícios de relaxamento aprendidos em aulas para gestantes.

Quando o Problema É o Ingurgitamento Mamário

Geralmente, há um período de adaptação quando o bebê que mama no peito começa a dormir a noite toda. É difícil acreditar, mas os seios *desenvolvem* seu próprio relógio. A redução na produção durante a noite é normal, e, após uma semana com os novos hábitos de sono do bebê, ela acompanha o número de mamadas. A mãe ainda produz leite constantemente e, por isso, se o bebê acordar de vez em quando para mamar, ele encontrará alimento suficiente. Curiosamente, se o bebê de repente começar a acordar de novo em conseqüência de dentição, doença ou estirões de crescimento, a produção de leite acompanha suas necessidades (desde que a mãe amamente o filho sempre que ele quiser). A amamentação é um milagre!

Depoimento de Mãe

"Ontem tivemos nossa melhor noite de sono — meu bebê dormiu sete horas consecutivas. O problema é que acordei no meio da noite como se tivesse pedras no tórax. Meus seios estavam vazando e doloridos. Após trabalhar tanto para fazê-lo dormir, não ousei acordá-lo. Esperei tanto pelo momento em que meu bebê dormiria a noite toda — nunca imaginei que desejaria que acordasse para mamar!"

Elisa, mãe de Jahwill, nove meses

Soluções para o Período de Adaptação

Aqui estão algumas dicas para o período de adaptação.

- Dê ao bebê uma mamada completa, nos dois seios, antes de dormir e pela manhã.
- Durma com o sutiã mais largo que tiver, colocando dentro dele toalhinhas ou absorventes.
- Se você acordar com ingurgitamento, aplique compressas mornas e retire uma pequena quantidade (com a mão ou com a bomba) — não uma mamada completa porque o organismo pode entender que o bebê ainda precisa daquela mamada noturna. Retire apenas o suficiente para reduzir o desconforto.
- Tente tomar uma ducha morna e massagear os seios sob o jato de água. Incline-se para frente para que a força da gravidade ajude a expelir um pouco do leite. Isso ajuda a reduzir o desconforto até o bebê acordar para mamar.
- Aplique compressa fria ou use um antipirético infantil para minimizar a dor ou o desconforto.
- Se você sente muita dor e não consegue retirar o leite, coloque o bebê adormecido para mamar. A maioria dos bebês consegue mamar dormindo e o seu pode sugar apenas o suficiente para ajudá-la a dormir. Mesmo se ele acordar, adormecerá rapidamente por causa da amamentação.

- Prepare-se para mamadas extras durante o dia. Alguns bebês que subitamente começam a dormir mais à noite compensam as mamadas noturnas perdidas com um número maior durante o dia.
- Se você já teve infecção ou congestão mamária, evite-as retirando leite ou amamentando o bebê o suficiente para amolecer os seios. Apenas tente minimizar o problema para que possa eliminar a mamada noturna. Lembre-se de que seu corpo ajustará a produção para acompanhar o novo horário de sono do bebê.
- Não pare de amamentar! Os seios ainda precisam ser esvaziados e a amamentação freqüente durante o dia lhe ajudará a superar o desconforto.

Preste Atenção a Sua Saúde

Se você sofre de insônia crônica ou outros distúrbios do sono incomuns, ou apresenta outros problemas de saúde, fique esperta. Procure o médico.

12

Considerações Finais: de Mãe para Mãe

Ao concluir este livro, penso no sucesso alcançado em relação aos hábitos de sono de Cole. Quando minha jornada começou, ele tinha doze meses e acordava de hora em hora para mamar. O desejo desesperado de dormir preenchia minhas noites; a busca incansável e frenética em livros e na Internet por alguma coisa — qualquer coisa — que ajudasse Cole a dormir consumia todo meu tempo. Contudo, um critério orientou-me sempre. Quaisquer que fossem as sugestões escolhidas, eu não deixaria meu bebê chorar até dormir. Afinal de contas, estávamos no mesmo barco: ambos precisavam dormir e não sabiam como.

Não quero dizer que minhas lágrimas não ameaçaram de vez em quando. Lembro-me de noites em que ele me acordou seis vezes e orei: "Por favor, Deus, faça-o dormir". Como vocês, meus leitores e amigos, aprendi que, quando não conseguimos dormir, o sono se torna a prioridade máxima na vida.

Agora que estou do outro lado da ponte (ou seria melhor dizer da cama?), o sono deixou de ser uma questão importante para mim. Cole rotineiramente tira uma soneca de duas horas e dorme, a noite toda, com pouquíssimas interrupções. Quando ele acorda para mamar, estou bem descansada e consigo lidar com a situação sem problemas. O sono voltou a ser uma simples questão de manutenção em nossa casa.

As mães que participaram de meu experimento seguiram o mesmo caminho. Começaram a viagem com olheiras e suplicando ajuda:

Depoimentos de Mães

"Odeio dizer isso, mas estou obcecada com o sono."

Caryn, mãe de Blaine, seis meses

"De manhã, pareço um zumbi. Eu faria qualquer coisa para dormir a noite toda; isso tornou-se minha maior obsessão."

Yelena, mãe de Samantha, sete meses

"Estou SEMPRE exausta. Passo o dia em transe. Não posso deixar o bebê chorar de maneira alguma, mas quero muito dormir."

Neela, mãe de Abhishek, dezoito meses

Essas mães concluíram a jornada revitalizadas e prontas para buscar o próximo marco na vida dos filhos:

Depoimentos de Mães

"Estou surpresa com nosso progresso. Não posso acreditar que é o mesmo bebê. Sinto-me como se fosse outra mãe. Uma mãe feliz, disposta, que dorme a noite toda e acorda alegre e animada."

Robin, mãe de Alicia, treze meses

"Agora Josh vai sozinho para a cama toda noite. E tenho a noite toda para trabalhar, tomar banho, jantar, preparar seu almoço para a creche. É como ter quarenta e oito horas no dia."

Shannon, mãe de Joshua, dezenove meses

"Kailee vai dormir às 20 horas toda noite e o mais cedo que acorda é às 6h30 da manhã. Nossa vida mudou completamente. Adoramos essa nova liberdade."

Marsha, mãe de Kailee, oito meses

Somos Iguais

Enquanto trabalhava com o grupo de mães experimentais, descobri como somos parecidas. Nomes e lugares variam, mas o coração é o mesmo. Amamos nossos bebês sem restrições; não suportamos ouvi-los chorar nem podemos tolerar o choro de outros bebês. Nossas vidas mudaram completamente no momento em que soubemos do resultado do teste de gravidez. E, enquanto nossos bebês crescem, o lugar especial em nosso coração, reservado apenas para eles, cresce também.

Além disso, temos opiniões fortes sobre a criação dos filhos e não nos deixamos influenciar facilmente pela mídia, amigos ou mesmo pediatras ou outros "especialistas". Sabemos, no fundo do coração, do que nossos bebês precisam; percebemos o que desejam. Abençoadas e atentas aos avanços na medicina, cansadas de filosofias desenvolvidas em nome da conveniência, estamos determinadas a seguir nossos instintos indomáveis. Estamos até mesmo dispostas a sofrer, se isso for o melhor para o bebê. Somos mães leoas, mães ursas, e pais tigres, também. Criamos nossos filhos com o coração.

Se Você Apenas Começou

Se você acaba de embarcar nesta jornada em direção ao sono melhor, sei que está frustrada e ansiosa. Como está determinada a não deixar seu bebê chorar, sei que o impulso que você recebe da família, amigos e, provavelmente, até mesmo do pediatra nem sempre é útil e reconfortante.

Conversar com outros que compartilham suas filosofias para a criação dos filhos ajuda muito. Se tiver a sorte de encontrar alguém por perto com as mesmas idéias, tire vantagem disso mantendo um contato constante. Se não tiver uma amiga onde mora, encontre apoio via Internet. Muitos sites relacionados à criação dos filhos apresentam salas de bate-papo ou quadros de mensagens, onde podemos encontrar pais com pensamentos semelhantes aos nossos. Há inúmeros sites oferecendo informações, artigos, quadros de mensagens, salas de bate-papo e mais. Alguns que achei muito úteis:

em inglês:

- www.babiestoday.com
- www.babycenter.com
- www.babyzone.com
- www.breastfeeding.com
- www.geoparent.com
- www.mothering.com
- www.myria.com
- www.nursingbaby.com
- www.parenthoodweb.com
- www.parentsoup.com
- www.parentsplace.com
- www.storknet.com

em português:
www.clubedobebe.com.br
www.bebe2000.com.br
www.babysite.com.br
www.neneweb.hpg.ig.com.br

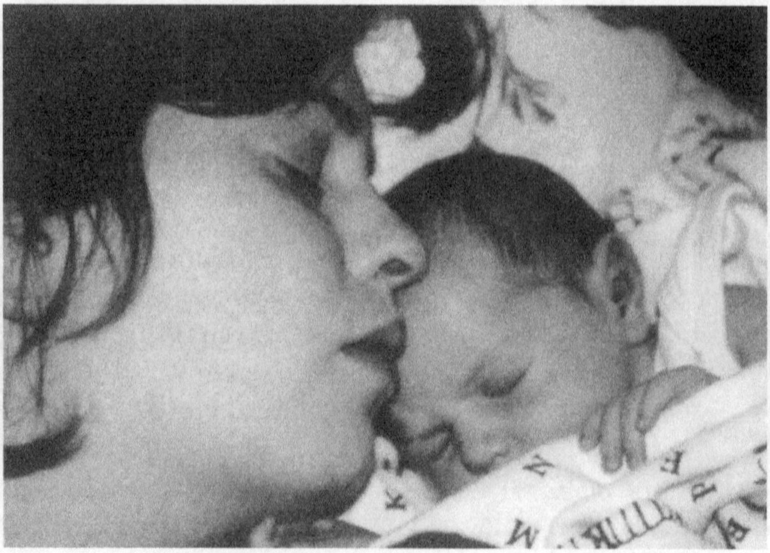

Jill e Kate, duas semanas de vida

Você verá que ter com quem conversar — pessoalmente, por telefone ou pelo computador — pode significar a diferença entre depressão e dedicação. Eu a incentivo a procurar o apoio necessário para ajudá-la neste momento tão difícil.

Vivendo o Momento?

Quando os problemas com o sono lançam sombras assustadoras sobre nossa vida, começamos a viver simplesmente o momento. O cérebro confuso, sem descanso, concentra-se com tal intensidade no sono que não conseguimos pensar além das próximas horas de repouso. Perdemos a perspectiva. Para retomá-la, faça a si mesmo essas perguntas:

1. Onde estarei daqui a cinco anos?
2. Como analisarei este momento do meu passado?

3. Terei orgulho de como lidei com a rotina de sono do bebê ou estarei arrependida dos meus atos?
4. Como as coisas que faço com o bebê hoje influenciarão o indivíduo que ele será no futuro?

Sei que já disse isso, mas ter filhos mais velhos deu-me a perspectiva que eu não tinha na primeira vez. Meus filhos ensinaram-me que a infância passa rapidamente. Esforço-me agora para me lembrar das dificuldades dos dois primeiros anos, pois são muito passageiros. E orgulho-me de não ter cedido às pressões alheias; ao contrário, segui meu coração ao cuidar de meus bebês. Aquele tempo passou, mas as lembranças permaneceram.

Olho meus filhos mais velhos e gosto do que vejo. São bondosos, sensíveis e carinhosos, e tento introduzir-lhes valores sólidos. Porém, ainda são jovens — tão próximos da essência da humanidade — para reagir sem pensar, instintivamente, a certas situações. Observá-los reforça o que eu suspeitava, mas que a lógica adulta quase sempre obscurece. Quando o irmão mais novo chora, os três correm para ajudá-lo. Quando um dos três se machuca, os outros oferecem a bolsa de gelo, uma palavra de conforto ou um abraço. Das profundezas de sua alma pura, abominam quando vêem o pai ignorar o bebê que chora.

Meus filhos sabem como agir, em parte, porque não faz muito tempo que deixaram de ser bebês. Ainda podem entender o desespero do choro de uma criança. É simples para eles porque ainda não assimilaram a vida adulta: quando o bebê chora, a resposta certa é, bem, *responder*. Só isso.

No entanto, nem *tudo* é instinto; acredito que minha dedicação em tratar meus bebês com delicadeza — minha recusa em deixá-los chorar — contribuiu para a sensibilidade que apresentam hoje. Naturalmente, nem sempre foi fácil — obter qualquer coisa de valor nem sempre é.

Bebês do Beisebol

Meus três filhos mais velhos jogam beisebol. Por isso, Cole e eu passamos grande parte da primavera no campo de beisebol. Ele tinha cinco meses na primeira temporada. Como eu era a técnica do time de minha filha, Cole passava o tempo no banco de reserva e no campo, acomodado no canguru, observando a ação, ouvindo os gritos, a torcida, o barulho do jogo. Entre uma jogada e outra, as meninas se revezavam carregando-o, passando-o de uma a outra, distraindo-o e tentando fazê-lo rir. Naquela mesma temporada, conheci outra mãe com um bebê da mesma idade de Cole. Ela chegava sempre com o filhinho preso ao sistema de cadeirinha e carrinho próprios para viagem. Ali ele ficava, estacionado à beira das arquibancadas. A posição reclinada no assento dava-lhe a visão do céu e das árvores. Quando ficava inquieto, a mãe dava-lhe a mamadeira e ele mamava até dormir. Ao conversar com ela, o que é comum às mães cujos filhos jogam beisebol, descobri que a diferença estendia-se além do campo. Enquanto à noite Cole dormia com a mãe ao seu lado, mamando quando necessitava de conforto, a outra mãe praticava o treinamento de sono — colocava o bebê no berço na hora de dormir e ignorava seus gritos até a manhã seguinte, na hora adequada, "ensinando-o" a "acalmar-se" sozinho para dormir.

Tanto Cole quanto ele eram calmos. Raramente choravam. Mas, enquanto eu analisava a vida dessas crianças, fiquei imaginando como aqueles primeiros anos de vida influenciariam seu futuro. O início da vida de Cole era repleto de pessoas — os braços acolhedores, rostos alegres, afagos, abraços. Ele estava sempre em meio à vida, não só desfrutando de suas experiências, mas observando as alheias. As noites não eram diferentes dos dias: havia sempre alguém para atender ao seu chamado. O outro bebê passava os primeiros meses preso ao carrinho, ouvindo as pessoas, mas à distância, exceto pelo visitante ocasional que se debruçava para vê-lo. Suas noites eram vastas horas de solidão, seus gritos, ignorados.

O início de vida de Cole foi preenchido por solidariedade, e certamente este é o modelo que ele seguirá ao crescer; o outro bebê conheceu independência e solidão. Sim, ambos talvez foram bebês satisfeitos, mas em mundos completamente diferentes — um voltado para o indivíduo e o outro para o distanciamento das pessoas. Fico me perguntando: Como essas primeiras experiências influenciarão os homens que eles virão a ser? Ao passar pelos primeiros meses de vida com o *seu* bebê, reserve alguns momentos para analisar como as ações de hoje o influenciarão a longo prazo. Esse processo ajudará você a descartar orientações inúteis enquanto elabora suas próprias soluções para o sono.

Paciência, Paciência e Apenas um Pouquinho Mais de Paciência

Respire fundo e repita comigo: "Isto vai passar." Neste momento, você está no olho do furacão e é complicado. Mas, em pouco tempo, o bebê estará dormindo e você também. E suas preocupações serão direcionadas para a próxima fase desta experiência desafiadora, magnífica e recompensadora que é ter filhos. Desejo a você e a sua família uma vida repleta de felicidade e amor.

Para Mais Informações

Se você quiser mais informações sobre a educação e a criação de seus filhos, consulte-nos para conhecer os novos lançamentos:

Escreva para:
M. Books do Brasil Editora Ltda.
Rua Jorge Americano, 61 – Alto da Lapa
05083-130 São Paulo SP

Envie e-mail para
vendas@mbooks.com.br

Ligue para:
(11) 3645-0409
(11) 3645-0410

Índice Remissivo

Depoimentos

"Humano, sensível e voltado para o bebê. É revigorante ver e poder endossar uma proposta tranqüila para o cuidado infantil que não pretende ensinar como cada bebê deve ser ou o que os pais devem fazer para obter sucesso na criação dos filhos. *Soluções para Noites sem Choro* aborda a diferença de cada pai e filho com amor e sabedoria".

— James J. McKenna, Ph.D., Diretor, Mother Baby Behavioral Sleep Center, Universidade de Notre Dame

"Uma resposta sábia e maravilhosa às preces de todos os pais exaustos. Finalmente uma solução tranqüila, carinhosa, intuitiva, segura e bem-sucedida para o bebê dormir. Elizabeth Pantley ensina aos pais como construir, passo a passo, uma noite agradável sem as restrições que os fizeram recusar as orientações sobre o assunto. *Soluções para Noites sem Choro* deve fazer parte de todo pré-natal e das orientações sobre cuidados com o bebê"!

— Nancy Eggleston, Produtora comunitária, StorkNet.com

"Oferece o equilíbrio maravilhoso entre reconhecer a importância do choro infantil e a realidade da exaustão paterna. Os pais confirmarão sua suspeita de que o choro do bebê não deve ser ignorado e a afirmação de seu próprio poder para ajudar o bebê a aprender a dormir".

— Michael Trout, Diretor, The Infant-Parent Institute, Inc.

"Finalmente um livro que trata com sensibilidade de uma questão delicada: como fazer o bebê dormir sem deixar que ele 'chore até se cansar'. Se você é uma daquelas mães que passam o dia todo sonolentas e mal-humoradas após noites intermináveis com um recém-nascido ou um bebê que troca o dia pela noite, ou se apenas deseja evitar essa situação, este é o livro certo. Ele oferece respostas viáveis e reais a uma das situações mais confusas e desafiadoras para os pais".

— *Tricia Jalbert e Macall Gordon, Editores Executivos, Attachment Parenting International*

"Sempre me incomodou o fato de que todo método para 'dormir a noite toda', indicando por especialistas, era *cruel* para bebês e crianças pequenas. Elizabeth Pantley atendeu às preces sonolentas de pais em todo o mundo e elaborou um método sensível e carinhoso que realmente funciona! A todos os pais cansados: este é o livro dos seus sonhos"!

— *Gaye E. Ward., Fundador, Gayesy's Attachment Parenting*

"Finalmente! Um livro para ajudar todos os pais a orientarem, com tranqüilidade e amor, seus bebês a dormirem melhor. As técnicas e abordagens de Elizabeth são excelentes para encorajar a criança a seguir um horário de sono saudável. Este livro fantástico é para todos, seja qual for o estilo de criação dos filhos, amamentação ou disponibilidade para passar a noite".

— *Tammy Frissell-Deppe, Autora, Every Parent's Guide to Attachment Parenting, GetAttached.com*

"Exposto com clareza, sem culpas ou atalhos, este livro é agradável e útil. O vínculo que desenvolvemos com nosso bebê enquanto juntos superamos noites sem dormir, e o *insight* adquirido ao seguirmos o programa de Pantley sem dúvida será uma dádiva para o futuro, aprimorando nossa capacidade de influenciar positivamente o desenvolvimento de nossos filhos. Este livro vai além de seu objetivo definido. Resumindo, é fundamental".

— Richard Rubin, Editor, Baby-Place.com

"Finalmente, uma resposta tranqüila e carinhosa aos problemas do sono infantil. As sugestões de Elizabeth Pantley fazem sentido — e funcionam! Neste guia prático e positivo, ela demonstra como entender as necessidades inatas do bebê e as respostas aprendidas nos ajudam a trabalhar juntos para conseguirmos o repouso tão desejado".

— Nancy Price, Co-fundadora, Myria Network: Myria.com, ePregnancy.com, GeoParent.com

"Se o bebê dorme no berço ou na cama dos pais, *Soluções para Noites sem Choro* é repleto de idéias sensatas, encorajadoras e úteis que respeitam as necessidades do bebê e dos pais. O livro reflete o fato de que cada família é singular e requer mais do que uma solução única para as questões do sono. Os pais apreciarão a experiência maternal e o *insight* empático de Elizabeth Pantley".

— Judy Arnall, Fundadora, Whole Family Attachment Parenting Association

"Finalmente! Um livro sobre o sono que não trata o bebê com crueldade e ainda reconhece a necessidade que a mãe tem de dormir! Elizabeth Pantley elaborou o plano perfeito, tranqüilo tanto para a mãe como para o bebê, que qualquer um pode adaptar à sua própria situação familiar".

— *Maribeth Doerr, Criadora e Editora-chefe, StorkNet.com*

"Quando segui os passos sugeridos neste livro, em apenas algumas noites percebi a ENORME diferença. A cada noite, durmo mais do que dormi em anos! O melhor é que NÃO HÁ choro"!

— *Becky, mãe de Melissa, treze meses, Wisconsin*

"*Soluções para Noites sem Choro* passou no teste final — ajudar meus gêmeos, que sempre acordavam à noite, a dormirem muito melhor"!

— Alice, mãe dos gêmeos, Rebecca e Thomas,
dez meses, Dublin, Irlanda

"Visto que precisei utilizar o método de 'chorar até dormir' com minha filha mais velha, fiquei *realmente* cética quanto a esse método que abolia o choro. Contudo, aqui estou para dizer que *funciona*! Dylan nunca chorou, pois eu o ensinei a dormir".

— Alison, mãe de Dylan, cinco meses, e de Aislinn,
oito anos de idade, Califórnia